DU PAIN SUR LA TABLE

AUTRES OUVRAGES DE L'AUTEUR

Le mystère Jésus, vingt siècles après, Montréal,
Bellarmin, 1994.

L'identité chrétienne en question (collectif),
Montréal, Fides, 1994.

Prières d'adieu à nos défunts, Paris/Montréal,
Médiaspaul, 1994.

Prière quotidienne en église, Paris/Montréal,
Médiaspaul, 1995.

Iéschoua, dit Jésus, Montréal, Médiaspaul,
2001.

Parcours d'Évangile, Montréal, Médiaspaul,
2001.

Georges Convert

DU PAIN
SUR LA TABLE

*Commentaires des dimanches
de l'année C*

LIVRE 2
Temps ordinaire : du 2ᵉ au 9ᵉ dimanche

Fides • Médiaspaul / formation chrétienne

En général, la traduction des textes évangéliques des dimanches est de l'auteur. Les citations bibliques, à l'intérieur des commentaires, proviennent de diverses éditions de la Bible.

La photo de la couverture a été réalisée par Sébastien Dennetière avec le concours de Laurent Hardy.

Catalogage avant publication
de la Bibliothèque nationale du Canada

Convert, Georges, 1936-
Du pain sur la table : commentaires
des dimanches de l'année C
Comprend un index.
Sommaire : Livre 1. Temps de l'Avent et de Noël.
Livre 2. Temps ordinaire, du 2ᵉ au 9ᵉ dimanche.
ISBN 2-89499-052-9 (v. 1) — ISBN 2-89499-054-5 (v. 2)

1. Bible. N.T. Luc – Critique, interprétation, etc.
2. Bible. N.T. Apocalypse – Critique, interprétation, etc.
3. Année liturgique – Méditations.
4. Espérance – Aspect religieux – Christianisme.
I. Titre.   II. Titre : Temps de l'Avent et de Noël.
III. Titre : Temps ordinaire, du 2ᵉ au 9ᵉ dimanche.

BS2589.C66 2003   226.4'06   C2003-941784-0

Dépôt légal : 4ᵉ trimestre 2003
Bibliothèque nationale du Québec

© Éditions FPR, 2003

Les Éditions FPR remercient de leur soutien financier
le ministère du Patrimoine canadien,
le Conseil des Arts du Canada et la Société
de développement des entreprises culturelles
du Québec (SODEC).

Les Éditions FPR bénéficient du Programme
de crédit d'impôt pour l'édition de livre
du Gouvernement du Québec, géré par la SODEC.

Imprimé au Canada en décembre 2003

Ce livre est le fruit d'un travail d'équipe :
  Mario Bard et G. Convert, pour les prières
  et les questionnaires ;
  André Choquette et G. Convert,
  pour les commentaires ;
  Xavier Gravend-Tirole pour la relecture ;
  les membres du Relais Mont-Royal
  et de Copam,
  avec qui ces textes ont été partagés ;
  les abonnés au feuillet et les auditeurs
  de Radio Ville-Marie
  pour qui ces commentaires ont été faits
  et qui nous ont apporté leurs réflexions.
À toutes et à tous, ma reconnaissante
  gratitude.

Georges CONVERT

La liturgie dominicale de l'Église catholique romaine propose de lire les trois récits synoptiques sur un rythme triennal : année A, Matthieu ; année B, Marc ; année C, Luc. Le récit de Jean est utilisé lors des trois années, plus spécialement lors de l'année B.

année A	année B	année C
Matthieu	Marc	Luc
		2003-2004
2004-2005	2005-2006	2006-2007
2007-2008	2008-2009	2009-2010
2010-2011	2011-2012	2012-2013

L'année liturgique commence le premier dimanche de l'Avent (4 semaines avant Noël) pour se terminer à la fête du Christ-Roi.

Abréviations des principaux livres bibliques

TESTAMENT DE MOÏSE

Am	Amos
Ct	Cantique des Cantiques
Dn	Daniel
Dt	Deutéronome
Es	Esaïe (même que Isaïe)
Ex	Exode
Ez	Ézéchiel
Gn	Genèse
Is	Isaïe (même que Esaïe)
Jdt	Judith
Jb	Job
Jl	Joël
Jon	Jonas
Jos	Josué
Jr	Jérémie
Jg	Juges
Lm	Lamentations
Lv	Lévitique
1M	1er livre des Maccabées
Ma	Malachie
Mi	Michée
Nb	Nombres
Ne	Néhémie
Os	Osée
Pr	Proverbes

Ps	Psaumes
Qo	Qohélet ou Ecclésiaste
1R	Rois (1er livre)
2R	Rois (2e livre)
1S	Samuel (1er livre)
2S	Samuel (2e livre)
Sg	Sagesse
Si	Siracide ou Ecclésiastique
So	Sophonie
Za	Zacharie

TESTAMENT DE JÉSUS

Ac	Actes des apôtres
Ap	Apocalypse de Jean
1Co	1re épître aux Corinthiens
2Co	2e épître aux Corinthiens
Col	épître aux Colossiens
Ep	épître aux Éphésiens
Ga	épître aux Galates
Jc	épître de Jacques
Jn	évangile selon Jean
1Jn	épître de Jean
Jude	épître de Jude
Lc	évangile selon Luc
Mc	évangile selon Marc
Mt	évangile selon Matthieu
1P	1re épître de Pierre
Ph	épître aux Philippiens
Phm	épître à Philémon
Rm	épître aux Romains
1Th	1re épître aux Thessaloniciens
2Th	2e épître aux Thessaloniciens
1Tm	1re épître à Timothée
Tt	épître à Tite

TEMPS ORDINAIRE
DU 2e AU 9e DIMANCHE

Regard sur le récit
évangélique de Luc

Luc a composé un récit en deux livres qu'il ne faudrait pas séparer parce qu'ils forment un tout et s'éclairent mutuellement : l'Évangile et les Actes des Apôtres. On lira les deux préfaces (Lc 1,1-4 et Ac 1,1-28). L'Évangile est centré sur la mission de Jésus dans le peuple de Dieu : Israël. Les Actes dessinent l'œuvre du Ressuscité qui s'étend — à travers ses disciples — à l'ensemble des peuples dont Rome est le symbole. Théophile est peut-être celui qui personnifie tous les disciples qui n'ont pas été les témoins oculaires de Jésus.

Comme une sorte de préface au récit évangélique (qui va du baptême aux apparitions pascales), les deux premiers chapitres de Luc sont consacrés à l'enfance de Jésus. Ils nous présentent le « mystère Jésus » tel que les premiers chrétiens l'ont compris après Pâques. C'est donc la gloire du Ressuscité qui éclaire déjà la naissance de l'humble enfant et les années de son enfance.

Contrairement au corps des récits évangéliques qui ont été transmis oralement pendant de nombreuses années avant d'être mis par écrit, ces chapitres de l'enfance (en Luc et Matthieu mais aussi le prologue de Jean) sont des textes rédigés par les auteurs. On pourrait les lire comme des récits du genre littéraire des légendes, mais ils sont des textes théologiques qui disent pourquoi on en est venu à comprendre Jésus comme étant Christ et Seigneur (le nom donné à Dieu).

On pourrait les comparer à certains génériques de films qui nous présentent, au début du film, des images qui donnent la clé permettant de comprendre l'histoire qui va être racontée.

2ᵉ dimanche ordinaire
Luc 2,1-11

ÉVANGILE DE JÉSUS
selon l'écrit de Luc

Le troisième jour, il y a une noce à Cana en Galilée. La mère de Jésus est là. Jésus aussi est invité — et ses disciples — à la noce. Le vin venant à manquer, la mère de Jésus lui dit : « Ils n'ont plus de vin. » Jésus lui dit : « Qu'est-ce de moi à toi ? Femme, mon heure n'est pas encore venue... » Sa mère dit aux servants : « Quoi qu'il vous dise, faites-le ! » Il se trouve là six jarres de pierre destinées à la purification des Juifs et contenant chacune deux ou trois mesures. Jésus leur dit : « Remplissez d'eau les jarres. » Ils les remplissent jusqu'en haut. Il leur dit : « Puisez maintenant et portez au maître du festin. » Ils portent. Le maître du festin goûte l'eau devenue vin. Il ne sait pas d'où cela vient. Les servants le savent, eux qui ont puisé l'eau. Le maître du festin appelle l'époux et lui dit : « Tout le monde

sert d'abord le bon vin; et quand les gens
sont enivrés, le moins bon. Toi, tu as gardé le
bon vin jusqu'à maintenant ! » Tel est le commencement des signes que Jésus fait à Cana
de Galilée. Il manifeste sa gloire et ses disciples croient en lui.

Le récit évangélique de Jean est tout entier
centré sur la manifestation de Jésus comme
Christ, envoyé par le Père. Jésus se révèle
dans sa mission (chapitres 2 à 12) qui pré-
pare la révélation finale à travers le don total
de lui-même dans sa mort sur la croix (chapitres 13 à 20). Après le prologue (Jn 1,1-18),
le témoignage de Jean le baptiste sur Jésus
(Jn 1,19-34) et la rencontre de ses premiers
disciples (Jn 1,35-51), l'épisode de Cana inaugure la première révélation de Jésus.

L'épiphanie

La tradition liturgique, sous l'influence de
l'Orient, a compris cette action de Cana
comme une épiphanie. Le mot « épiphanie »
vient d'un mot grec qui signifie manifestation, révélation. Le titre d'Épiphanie a été
donné d'abord à la venue des mages. En
Orient dès le IVe siècle, en Occident à partir
du VIIe siècle, la liturgie a rassemblé trois
manifestations de la gloire du Christ : la visite
des mages, les noces de Cana et le baptême.

Aujourd'hui, l'étoile a conduit les mages à la crèche ; aujourd'hui à partir de l'eau le vin a été produit pour les noces ; aujourd'hui le Christ a voulu être baptisé par Jean dans le Jourdain. (Antienne du Magnificat de l'Épiphanie)

La question qui nous est posée devient donc : à Cana, de quelle épiphanie s'agit-il ?

De quoi ce récit est-il le signe ? Pour le comprendre, il faut nous rappeler le sens symbolique des nombreuses images utilisées ici ; sens symbolique que les récits bibliques nous font connaître. Notre tentation est toujours de donner priorité aux faits matériels, aux détails historiques : comment Jésus a-t-il fait pour changer l'eau en vin ? pourquoi le marié n'avait-il plus de vin ? ces gens-là étaient-ils des pauvres que Jésus a voulu aider ? Mais il ne faut jamais imaginer ce que l'Évangile ne dit pas. Il faut au contraire scruter le sens de tout ce qui est dit et le comprendre à l'aide de ce que nous savons du sens des images employées.

Le chapitre 2 va relater l'action de Jésus lors d'une noce à Cana et ensuite l'action qu'il fera avec éclat à Jérusalem où il veut purifier le Temple. Ces gestes sont appelés, par l'évangéliste, des signes :

Tel est le commencement des signes que Jésus fait à Cana de Galilée. Il manifeste sa gloire et ses disciples croient en lui. (Jn 2,11)

Beaucoup crurent en son nom à la vue des signes qu'il opérait. (Jn 2,23)

Ce que les autres récits évangéliques appellent « miracle » est habituellement désigné comme « signe » en Jean. C'est que le rôle des actions de Jésus n'est pas d'étonner par quelque prodige défiant les lois de la nature, mais plutôt de révéler qui il est et quelle est sa mission. On peut comparer certains signes de Jésus aux gestes de certains prophètes : ainsi Osée qui épouse une prostituée pour signifier que Dieu aime encore son peuple infidèle. Jésus se plaindra de ce que les gens demeurent au phénomène extérieur, matériel, sans saisir le sens profond, spirituel de son geste :

> Ce n'est pas parce que vous avez vu des signes que vous me cherchez, mais parce que vous avez mangé des pains à satiété. (Jn 6,26)

Cette phrase peut nous aider à comprendre le « signe » qui est donné par Jésus lors des noces de Cana.

Or le troisième jour il y eut une noce...

Dans la Bible, l'expression « troisième jour » marque les grands événements qui tissent la relation de Dieu et de son peuple. Ainsi au Sinaï :

Le Seigneur dit à Moïse: «Voici, je vais arriver jusqu'à toi dans l'épaisseur de la nuée, afin que le peuple entende quand je parlerai avec toi et qu'en toi aussi il mette sa foi à jamais.» Va vers le peuple et sanctifie-le aujourd'hui et demain; qu'il soit prêt pour le troisième jour, car c'est au troisième jour que le Seigneur descendra sur le mont Sinaï, aux yeux de tout le peuple.» (Ex 19,9-11)

On peut faire un lien avec la finale du 1ᵉʳ chapitre où Jésus promet à Nathanaël qu'il verra le Fils de l'homme en communication avec le ciel, c'est-à-dire avec Dieu.

Tout au long de la Bible, l'image des noces est utilisée pour décrire les liens de communion que Dieu veut tisser avec l'humanité. Dieu est appelé l'Époux de son peuple.

On trouve cette image chez le prophète Osée:

Il adviendra en ce Jour que tu m'appelleras «Mon époux» et tu ne m'appelleras plus «Mon maître». Je te fiancerai à moi pour toujours. Je te fiancerai dans la justice et dans le droit, dans la tendresse et la miséricorde; je te fiancerai à moi dans la fidélité et tu connaîtras le Seigneur-Dieu. (Os 2,18.21-22)

Le prophète Jérémie va rappeler les amours de Dieu et de son peuple:

Ainsi parle Dieu: Je me rappelle l'affection de ta jeunesse, l'amour de tes fiançailles: tu me

suivais au désert, sur la terre qui n'est pas
ensemencée... (Jr 2,1)

Ézéchiel comparera Israël, qui ne vit pas
selon la *Tora* (l'enseignement révélé par
Dieu), à une épouse infidèle. Mais Dieu va
refaire l'alliance :

> Moi, Je me souviendrai de mon alliance avec
> toi aux jours de ta jeunesse. J'établirai avec
> toi une alliance éternelle. (Éz 16,60)

C'est la même promesse en Isaïe :

> Ton créateur est ton époux. Le Seigneur-Dieu
> est son nom. Un court instant Je t'avais dé-
> laissée, dit ton Dieu. Ému d'une immense
> compassion Je vais t'unir à moi. (Is 54,5.7)

> Le Seigneur-Dieu trouvera en toi son plaisir
> et ta terre sera épousée. Comme un jeune
> homme épouse sa fiancée, ton créateur t'épou-
> sera. Et de la joie de l'époux pour sa promise,
> ton Dieu sera enthousiasmé pour toi. (Is 62, 4-5)

Beaucoup attendent donc que la venue
du messie accomplisse cette espérance :
l'alliance sera renouvelée par la conversion
des cœurs et des vies. En effet, la situation
politique d'Israël, occupé par les forces
romaines, est interprétée comme un châtiment de Dieu parce qu'Israël a négligé la
Règle de Dieu, la *Tora*.

Plus tard, la méditation des sages va inté-
rioriser cette image de l'Époux. La Sagesse

de Dieu sera personnalisée comme la fille de Dieu et Celui-ci la donnera à Israël pour qu'elle soit son épouse :

> Seuls sont aimés de Dieu ceux qui partagent l'intimité de sa Sagesse. C'est elle que j'ai aimée et recherchée dès ma jeunesse. J'ai cherché à en faire mon épouse et je suis devenu l'amant de sa beauté. (Sg 7,28 ; 8,2)

Le roi-messie est le roi terrestre qui représente le Roi des Cieux. Comme lieutenant de Dieu, il est rempli de la Sagesse divine. Ainsi le roi-messie sera considéré comme l'Époux du peuple de Dieu, puisqu'il représente l'Époux divin.

On trouvera écho de cela dans les évangiles. Ainsi, dans la bouche de Jean le baptiste :

> Je ne suis pas le messie mais j'ai été envoyé devant lui. Qui a l'épouse est l'Époux. Mais l'ami de l'époux, qui se tient là et l'entend, se réjouit de joie à la voix de l'époux. Cette joie est mienne en plénitude. Lui doit croître et moi diminuer. (Jn 3,28-30)

Jésus lui-même se nomme l'époux en réponse à une critique des Pharisiens qui se plaignent de ce que ses disciples ne font pas des jeûnes fréquents :

> Pouvez-vous faire jeûner les compagnons de noces pendant que l'Époux est avec eux ? (Lc 5,34)

Une autre image importante est à comprendre pour notre récit : l'image du vin. La Bible dit que le vin coulera en abondance au jour de la restauration de l'alliance : « Ce Jour-là, les montagnes dégoutteront de vin nouveau », dit le prophète Joël (Jo 4,18). Isaïe décrit cette fête comme le rassemblement de tous les peuples autour d'Israël :

> Le Seigneur va donner sur cette montagne un festin pour tous les peuples, un festin de viandes grasses et de vins vieux. (Is 25,6)

Dans les Proverbes, le vin est le symbole de l'enseignement de la Sagesse de Dieu :

> Venez, mangez de mon pain et buvez du vin que j'ai préparé pour vous. Abandonnez la sottise et vous vivrez. Marchez dans la voie de l'intelligence. (Pr 9,5-6)

Avec les sens symboliques des noces, de l'Époux et du vin, nous voilà maintenant conscients des images qui nourrissaient l'imaginaire des auditeurs de Jésus ; c'est sur ce fond de tableau que nous pouvons aborder le récit de Cana.

Le vin venant à manquer, la mère de Jésus lui dit : « Ils n'ont plus de vin »

Marie souligne le manque de vin. Nous devons sans doute le comprendre avant tout en son sens symbolique :

Elle met son fils en présence de la détresse d'Israël. […] La mère, ou encore Sion [c'est-à-dire Israël, qu'elle représente], déclare le manque où se trouvent ses enfants. (X. Léon-Dufour, *L'Évangile selon Jean*, t. 1, Seuil 1987, p. 227)

Ce vin qui manque, c'est le don de la Sagesse de Dieu. Les pasteurs d'Israël ne donnent plus l'enseignement de Dieu aux foules qu'ils jugent ignorantes. Jésus au contraire va prêcher à tous, et spécialement à ceux qui sont marginalisés par l'élite religieuse. Mais son enseignement va aussi être différent de celui des rabbis. L'enseignement des rabbis présente Dieu comme le Juge Tout-puissant qui établit la justice en châtiant les coupables et en récompensant les bons. L'enseignement de Jésus sera différent : il parlera d'un Dieu qui est Père, miséricorde infinie, pardon. En ce sens, il comparera son enseignement à du vin nouveau :

Personne ne met du vin nouveau dans de vieilles outres… Qu'on mette du vin nouveau dans des outres neuves. (Lc 5,37-38)

La mère de Jésus est là. Jésus aussi est invité — et ses disciples — à la noce

Dans ces quelques mots, Jésus se détache. C'est lui qui va être le personnage important. Remarquons que Jean ne nomme pas

Marie : il parle de la mère de Jésus. Dans le récit de Jean, nous ne retrouverons Marie qu'au pied de la croix (*cf.* Jn 19,25). À cette heure, elle recevra Jean comme son fils. Peut-être pouvons-nous comprendre qu'à Cana, Marie, qui a enfanté Jésus, va maintenant l'enfanter comme le messie. À la croix, elle aura à enfanter les disciples de Jésus dont elle deviendra la mère.

> Jésus, voyant la mère, et tout près le disciple qu'il aimait, dit à la mère : « Femme, voici ton fils. » (Jn 19,26-27)

On aura aussi remarqué qu'en ce dernier texte Jean parle de *la* mère et non de *sa* mère. Désormais, Marie n'est plus la mère de Jésus. Ce rôle s'efface devant celui d'enfanter les disciples de Jésus au long de l'histoire. Cette femme, indispensable pour la naissance de l'Homme-Dieu, aura d'ailleurs été discrète durant toute la vie publique de son fils.

Femme...

Femme ! L'expression peut paraître surprenante dans la bouche de Jésus. Il aurait dû normalement l'appeler *Imma* qui correspond à *Abba* (papa). Nous avons vu déjà que son nom propre, Marie, n'est pas mentionné. Faut-il y voir une volonté de Jésus de marquer sa distance vis-à-vis de sa mère ?

Redisons que les récits évangéliques ne se situent pas au niveau psychologique. Dans ce récit, où jamais la mariée n'apparaît, la « distance », l'appellation de femme, est peut-être employée pour noter que Marie représente le « nouveau » peuple de Dieu. Le peuple de Dieu (Israël) est considéré dans la Bible comme l'épouse de Dieu. Il s'agit de mettre en lumière le rôle important de Marie dans ce projet de Dieu que Jésus va réaliser : inaugurer un peuple nouveau comme peuple de Dieu sur terre. Ce peuple sera ouvert aux gens de toutes les ethnies et non plus seulement aux Juifs. On retrouvera cela dans les autres récits évangéliques. Ainsi le récit de Matthieu se termine par cette parole de Jésus :

> « Allez donc : de toutes les nations faites des disciples, les baptisant au nom du Père et du Fils et du Saint Esprit, leur apprenant à garder tout ce que je vous ai prescrit. » (Mt 28,19-20)

Notons aussi que, lorsque Jésus déclare que sa mère et ses frères sont ceux qui écoutent et mettent en pratique la Parole de Dieu (Mc 3,33), cela n'exclut pas Marie. Elle est au contraire celle qui a écouté et pratiqué la Parole à la perfection.

Qu'est-ce de moi à toi?

Littéralement l'expression se traduit ainsi : « Qu'y a-t-il pour toi et pour moi ? » ou encore « Qu'y a-t-il entre toi et moi ? » Cette façon d'interroger se retrouve dans les Écritures soit pour mettre en question le lien entre les deux interlocuteurs, soit pour indiquer qu'ils ne sont pas sur la même longueur d'onde. Les spécialistes des Évangiles sont hésitants sur le sens à donner à cette phrase. Jésus veut-il souligner qu'il ne s'agit pas, pour lui, simplement de vin mais de la Sagesse de Dieu ? Cette Sagesse de Dieu dont les fils de Dieu d'alors se sont tant éloignés, la voici maintenant présente dans la personne de Jésus, le fils bien-aimé du Père.

Mon heure n'est pas encore venue...

Les traductions donnent deux versions : l'une négative, l'autre interrogative : Mon heure n'est-elle pas venue ? Les deux sont possibles grammaticalement. Xavier Léon-Dufour (*cf. ibidem*, p. 230-231) justifie la forme interrogative en notant que « la suite du récit ne s'accommode guère d'un sens négatif : comment la mère de Jésus aurait-elle pu, après un refus catégorique, s'adresser aux servants pour qu'ils exécutent ce que Jésus viendrait à leur dire ? » Le mot « heure » désigne généralement le temps où va s'accomplir le dessein de Dieu. Pour Jésus, son « heure » s'accomplira lors de sa mort et de sa résurrection. Cette « heure » marquera en effet le passage dans la plénitude de la vie divine :

> Elle est venue, l'heure où le Fils de l'homme doit être glorifié. Amen, si le grain de blé qui tombe en terre ne meurt pas, il reste seul ; si au contraire il meurt, il porte du fruit en abondance. (Jn 12,22-24)

La gloire est l'intense manifestation de la vie divine en Jésus : une vie jaillissante d'Amour et de Lumière en communion avec son Père. Cette « heure » est donc celle de l'aboutissement du don d'amour que Jésus fait de lui-même. Elle s'exprimera déjà au soir de la Cène lorsque Jésus lavera les pieds de ses disciples, dans un geste ultime d'amour et de pardon :

> Avant la fête de la Pâque, Jésus sachant que son heure était venue, l'heure de passer de ce monde au Père, lui, qui avait aimé les siens qui sont dans le monde, les aima jusqu'à l'extrême. (Jn 13,1)

C'est tout au long de sa vie que le thème de la glorification de Jésus, le Fils de l'homme, s'approfondira. Son rayonnement d'amour sera notamment d'être celui qui donne la vie et l'amour du Père par son enseignement :

Il faut vous mettre à l'œuvre pour obtenir la nourriture qui demeure en vie éternelle, celle que le Fils de l'homme vous donnera, car c'est lui que le Père, qui est Dieu, a marqué de son sceau. (Jn 6,27)

En cette heure de Cana, Jésus s'engage résolument dans sa mission. Désormais, il va donner en abondance le vin de la Sagesse divine.

Sa mère dit aux servants : « Quoi qu'il vous dise, faites-le »

Cet ordre peut nous ramener au texte de la rencontre de Dieu et de Moïse au Sinaï : après que Moïse a énuméré les conditions de l'Alliance, le peuple accepte en disant :

Tout ce que le Seigneur a dit, nous le ferons. (Ex 19,8)

Cette invitation à faire ce que Jésus va dire doit donc s'entendre bien au-delà des consignes pratiques données aux servants. Il s'agit de l'écoute de la Parole de Dieu qui va se dire parfaitement en Jésus :

Je dis ce que le Père m'a enseigné. (Jn 8,28)

Amen, je vous le dis, si quelqu'un garde ma parole, il ne verra jamais la mort. (Jn 8,51)

Si quelqu'un m'aime, il observera ma parole, et mon Père l'aimera ; nous viendrons à lui et nous établirons chez lui notre demeure. (Jn 14,23)

Il se trouve là six jarres de pierre destinées à la purification des Juifs et contenant chacune deux ou trois mesures

Une mesure contient environ 40 litres. Il s'agit donc d'une quantité considérable d'eau utilisée pour le rituel des ablutions. Marc décrit ainsi cette observance :

> En effet, les Pharisiens, comme tous les Juifs, ne mangent pas sans s'être lavé soigneusement, par attachement à la tradition des anciens ; en revenant du marché, ils ne mangent pas sans avoir fait des ablutions. (Mc 7,3-4)

Il peut paraître intéressant que Jésus utilise les jarres des purifications. Il ne devait pas manquer de cruches pour le vin puisque celles-ci avaient été vidées par les convives. Cela confirme le sens symbolique qui est le vrai sens du récit. Les jarres d'eau, c'est-à-dire tout le rituel des observances légales, les purifications, représentent aux yeux de Jésus une coutume qui doit être dépassée.

Ces jarres sont au nombre de 6, c'est-à-dire 7 moins 1, ce qui signifie l'imperfection (puisque 7 indique la perfection). En effet, ces rites de purification ne peuvent nous donner d'avoir accès auprès du Père. Pourquoi ? Par ses seules forces, l'être humain ne peut vivre selon la *Tora*, la Règle de Dieu.

Comme le dira l'apôtre Paul, la *Tora*, en nous disant ce qu'il faut faire, nous révèle notre pauvreté de pécheurs :

> La *Tora* ne fait que donner la connaissance du péché. En effet, nous savons que la *Tora* est spirituelle ; mais moi je suis un être de chair, vendu au pouvoir du péché. Vouloir le bien est à ma portée, mais non pas l'accomplir : puisque je ne fais pas le bien que je veux et commets le mal que je ne veux pas. Malheureux homme que je suis ! Qui me délivrera de ce corps qui me voue à la mort ? Grâces soient à Dieu par Jésus Christ notre Seigneur ! (Rm 3,20 ; 7,14-25 *passim*)

La *Tora* ne peut nous donner la force d'accomplir les préceptes de Dieu. Bien des prophètes d'Israël avaient dit la même chose. Dieu doit donner son Esprit, le mettre dans le cœur de son fidèle, pour que ce dernier puisse agir selon la *Tora*.

> Mais voici l'alliance que je conclurai avec la maison d'Israël, parole du Seigneur : Je mettrai ma *Tora* au fond de leur être et je l'écrirai sur leur cœur. Alors je serai leur Dieu et eux seront mon peuple. (Jr 31,33)

Avec Jésus, voici qu'un homme de notre humanité est pleinement envahi, parfaitement inspiré par l'Esprit divin. Il nous apporte cette grâce, cet amour qui nous rendra capable de vivre en vérité selon la volonté du Père. C'est ce que dit le prologue de Jean :

La *Tora* a été donnée par Moïse mais c'est par Jésus qu'arrive l'amour et la vérité. (Jn 1,17)

Jésus inaugure en sa personne une nouvelle Alliance entre le Père et l'être humain. Celle-ci se réalise non plus dans la seule obéissance aux préceptes de la *Tora* mais dans l'union avec lui, dans la communion en sa personne. Sa parole de Sagesse est vraiment le vin nouveau de l'Alliance. Jésus nous donne son esprit pour nous permettre de vivre comme lui une vie d'intimité avec le Père.

Toi, tu as gardé le bon vin jusqu'à maintenant

Le maître du repas ainsi que le marié semblent incapables d'accueillir la nouveauté qui se donne en Jésus. Le maître du repas ignore la provenance du bon vin. Qui représente-t-il ? Peut-être est-il le symbole des scribes et des autorités religieuses d'alors qui méconnaîtront l'origine divine de l'enseignement de Jésus ? Lors du Dernier Repas, le vin sera celui de la nouvelle alliance :

Il prit une coupe et, après avoir rendu grâce, il la leur donna en disant : « Buvez-en tous, car ceci est mon sang, le sang de l'Alliance, versé pour la multitude, pour le pardon des péchés. Je vous le déclare : je ne boirai plus désormais de ce fruit de la vigne jusqu'au

jour où je le boirai, nouveau, avec vous dans
le Royaume de mon Père. » (Mt 26,27-29)

***Tel est le commencement des signes
que Jésus fait à Cana de Galilée.
Il manifeste sa gloire et ses disciples
croient en lui***

Le signe de Cana n'est que le commencement des signes. Le miracle de l'eau devenue vin prendra toute sa dimension dans
l'ensemble de la vie du Christ. Jésus sera la
Tora vivante, la parole spirituelle qui fait
vivre de vie d'éternité :

Je suis le pain de vie. (Jn 6,36)

Il sera celui qui nous fera découvrir la vérité
de notre vie :

Je suis la lumière du monde. (Jn 8,12)

Par son pardon, il nous fera passer de la
mort spirituelle à la renaissance :

Je suis la résurrection et la vie. (Jn 11,25)

Devenir disciple, ce sera accueillir ces signes :
connaître la grâce d'être en amitié avec Jésus
en buvant au vin de sa Sagesse pour naître
à notre vie éternelle de fils et fille de Dieu.
Voilà la fête de l'Alliance, la noce, à laquelle
nous sommes quotidiennement conviés.

*
* *

*Je cours loin de toi, tu me rattrapes
et me caresses.
Je te gifle et m'enfuis, tu viens à moi
et me pries.
Père, quand mon cœur se ferme
pour recevoir le vin nouveau
de ta tendresse,
patiente et soutiens-moi.
Tu le sais, toujours je retourne vers toi.
Par ton bien-aimé Jésus, épouse-moi
chaque jour de ma vie,
Invite-moi toujours à la table
de ton banquet.
Apprends-moi tes paroles d'amour
et de liberté.
Je désire être présent à la table
de ton banquet éternel.
Amen !*

QUESTIONS DE COMPRÉHENSION
ET D'APPROPRIATION

1. Que veut dire : épiphanie ? La liturgie des dimanches a rassemblé trois
   épiphanies : la visite des mages, le
   baptême et les noces de Cana ; aux
   noces de Cana, de quelle épiphanie
   s'agit-il ?

2. Quel est le sens des images du troisième jour, de la noce, de l'époux,
   du vin ?

3. Pourquoi l'enseignement de Jésus
   est-il comparable à un vin nouveau ?

4. Que représente le vin par rapport
   à l'eau des purifications ?

5. Pourquoi Marie n'est-elle pas
   appelée par son prénom mais est-
   elle nommée par Jésus la *mère* ou
   femme ?

6. Pourquoi les disciples de Jésus peuvent-ils parler d'une alliance nouvelle ?

7. Être disciple de Jésus, cela se réalise
   de quelle manière dans ma vie quotidienne ?

3ᵉ dimanche ordinaire
Luc 1,1-4 ; 4,14-21

ÉVANGILE DE JÉSUS
selon l'écrit de Luc

Beaucoup ont entrepris de composer un récit des événements qui se sont accomplis parmi nous : selon qu'ils nous ont été transmis par ceux qui ont été les témoins oculaires depuis le commencement et qui sont devenus serviteurs de la Parole. C'est pourquoi il m'a aussi semblé bon d'écrire un récit ordonné pour toi, honorable Théophile — moi qui ai tout scruté avec rigueur en remontant à la source —, afin que tu reconnaisses la solidité des paroles que tu as reçues oralement. (Luc 1,14)

Rempli de la puissance du Souffle Spirituel, Jésus revient en Galilée. Des bruits courent à son sujet à travers toute la région. Il enseigne dans leurs synagogues et tout le monde fait son éloge. Il vient à Nazara, où il a été élevé. Selon son habitude, il entre à la synagogue, le

jour du sabbat. Il se lève pour faire la lecture.
On lui remet le livre du prophète Isaïe. Il le
déroule et il trouve le passage où il est écrit :
« Le Souffle Spirituel du Seigneur-Dieu est
sur moi car il a fait de moi son messie pour
annoncer un message de bonheur aux pauvres. Il m'a envoyé pour proclamer la liberté
aux prisonniers et le retour à la vue aux aveugles, pour renvoyer libres les opprimés, pour
proclamer l'An de grâce du Seigneur. » Ayant
roulé le livre, il le rend au servant et s'asseoit ;
dans la synagogue, tous ont les yeux fixés sur
lui. Alors, il se met à leur dire : « Cette parole
de l'Écriture s'accomplit aujourd'hui pour
vous qui l'écoutez. » (Luc 4,14-22)

La liturgie rassemble aujourd'hui deux textes
pris dans le récit évangélique de Luc. L'introduction (1,1-4) est suivie des débuts du
ministère de Jésus (4,14-22) que Luc situe à
Nazareth. Nous sautons donc par-dessus les
chapitres consacrés à l'enfance (1,5-80 et 2)
et par-dessus le chapitre 3 qui raconte le
baptême et les tentations au désert. Notre
texte liturgique d'aujourd'hui ne donnera
que la première partie de l'épisode « Nazareth ». Nous aurons la conclusion dans le
texte liturgique du 4ᵉ dimanche.

Voici un texte de Luc qui est comme un
discours-programme. Il se situe en effet au
début du ministère de Jésus, après le récit

des tentations. On se souviendra que le récit des tentations est lui-même une sorte de résumé : celui des choix que Jésus fera tout au long de sa mission. Des choix qui ne seront pas toujours faciles. Quels moyens prendra-t-il pour convaincre ses auditeurs ? Qui le messie doit-il être pour témoigner de Dieu ? Un prophète ? Un roi politique ? Un serviteur ? On trouvera ici, comme en résumé, le choix fait par Jésus et l'accueil qui va lui être fait par son peuple. Luc utilise des événements qui se sont produits à Nazareth, mais il s'en sert pour décrire une situation plus générale : à savoir comment le peuple juif va finalement accueillir Jésus et son message.

La visite de Jésus à Nazareth ne s'est probablement pas déroulée au tout début de son activité. Les récits de Matthieu (13,54-58) et de Marc (6,1-6) situent en effet cette visite plus tardivement. Luc lui-même fait dire aux gens de Nazareth : « Ce que tu as fait à Capharnaüm, fais-le aussi dans ton village, celui de ta parenté. » Cette réflexion est un indice que Jésus a déjà commencé ses activités : cette visite n'est pas sa première manifestation comme prédicateur itinérant. Cependant, il nous faut prendre le récit de Luc tel qu'il est si nous voulons comprendre le sens que l'évangéliste lui donne.

Beaucoup ont entrepris de composer un récit des événements accomplis parmi nous

Pour commencer, tentons de dire qui est Luc. La tradition nous le présente comme un compagnon de Paul, qui aurait participé à certains voyages missionnaires de l'apôtre. Les Actes des apôtres, qui sont le deuxième tome de l'œuvre de Luc (le premier étant son récit de l'évangile de Jésus), relatent la vie des premières communautés chrétiennes. Certains passages sont rédigés à la première personne du pluriel (nous). On suppose qu'ils relatent les moments où Luc accompagnait Paul. Luc n'a sans doute pas connu personnellement Jésus de Nazareth. Il devra se servir d'autres écrits pour la composition de son évangile. Déjà Marc a rédigé son récit évangélique vers les années 70. Notre auteur pourra le consulter et utiliser aussi d'autres sources dont nous ne possédons plus les documents originaux, soit un recueil de « paroles » appelé par les spécialistes la source Q, soit des traditions orales qui sont propres à Luc et qui formeront les deux chapitres de l'enfance ainsi que la section qui va du chapitre 9,51 au chapitre 18,4.

Dans sa lettre aux Colossiens, Paul présente Luc comme médecin :

> Vous avez les salutations de Luc, notre ami le
> médecin. (Col 4,14)

Luc est probablement syrien, originaire
d'Antioche, la troisième ville de l'Empire
après Rome et Alexandrie. Avec tout son
bagage culturel, il entreprend de transmettre
le « mystère Jésus » pour des milieux qui sont
étrangers à la foi et à la mentalité juives. Il
est lui-même un chrétien issu du monde
païen et sans doute de classe sociale assez
élevée. Son intention est de faire connaître
l'Évangile à l'extérieur du peuple juif. Les
Juifs s'opposent de plus en plus à la foi
chrétienne, depuis que l'interdiction a été
faite aux chrétiens de fréquenter les synagogues. Mais, malgré oppositions et persécutions, la communauté chrétienne connaît
un réel élan missionnaire. C'est ce que décrit
notre auteur dans les Actes :

> Cependant ceux qu'avait dispersés la tour-
> mente survenue à propos d'Étienne étaient
> passés jusqu'en Phénicie, à Chypre et à An-
> tioche, sans annoncer la Parole à nul autre
> qu'aux Juifs. Pourtant, lorsque certains d'entre
> eux, originaires de Chypre et de Cyrène,
> arrivèrent à Antioche, ils adressèrent aussi
> aux Grecs la bonne nouvelle de Jésus Seigneur.
> Le Seigneur leur prêtait main-forte, si bien
> que le nombre fut grand de ceux qui se tour-
> nèrent vers le Seigneur, en devenant croyants.
> (Ac 11,19-21)

Luc veut faire œuvre d'historien. On voit, au 2ᵉ chapitre, qu'il situe Jésus dans l'histoire de son temps, en nommant l'empereur qui régnait alors sur le monde colonisé par Rome :

> En ce temps-là parut un décret de César Auguste pour recenser le monde entier. Ce recensement eut lieu alors que Quirinius gouvernait la Syrie. (Lc 2,1-2)

La conception que l'on a de l'histoire, à l'époque, est différente de la nôtre. Nous sommes aujourd'hui soucieux de l'exactitude des faits, parfois jusqu'au moindre détail, quitte à négliger parfois le sens profond de ce qui est vécu par les personnes. Il n'en est pas ainsi pour les historiens de l'antiquité. On cherche alors à donner davantage le sens des événements, même si cela amène à être très souple et approximatif quant à l'exactitude des faits.

En outre, n'oublions pas que les évangiles sont avant tout des catéchèses élaborées à partir de l'événement central de la résurrection de Jésus. Ils veulent aider les nouveaux disciples à mieux connaître et aimer Jésus, à vivre son message, selon son esprit. À partir des faits racontés, le lecteur (ou mieux l'auditeur) de l'Évangile devra tirer une leçon pour sa propre vie. Ce qui ne veut pas dire que cela ne se base pas sur un fait réel. Au contraire. L'Évangile n'est pas une réflexion philosophique ni un essai moraliste. Il se fonde sur un donné objectif : ce qui a été réellement accompli par cet homme Jésus.

Celui-ci a *accompli* par toute sa vie une œuvre qui le dépasse, car elle concerne à la fois Dieu et les humains. Cette mission, accomplie par Jésus, accomplit elle-même ce que les Écritures saintes avaient annoncé. Il est remarquable qu'en Luc les deux seuls emplois du verbe accomplir se trouvent dans la bouche même de Jésus. Au début de son ministère, lors de sa prédication à Nazareth :

> « Aujourd'hui, cette écriture est accomplie pour vous qui l'écoutez. » (Lc 4,21)

Puis, après sa résurrection, lors de l'apparition aux Onze :

> « Voici les paroles que je vous ai adressées quand j'étais encore avec vous : il faut que s'accomplisse tout ce qui a été écrit de moi dans la *Tora* de Moïse, les Prophètes et les Psaumes. » (Lc 24,44)

Cet « *accomplir* » va se poursuivre jusqu'à nos jours. Le Souffle de Dieu, à travers la personne même de Jésus, le Vivant Ressuscité, inspire encore aujourd'hui les chrétiens et leur permet d'agir en fils et fille de Dieu. Ainsi grâce à cet *accomplissement du Christ*,

nous bénéficions en notre temps du rayonnement de sa Résurrection.

Évoquons ici le témoignage d'une amie :

> Vivre, pour moi, c'est être une personne libre...
> mais par la grâce de Dieu. Depuis ma tendre
> enfance, j'avais dû vivre dans la noirceur.
> J'étais loin de mon Dieu d'Amour, je souf-
> frais d'un mal de vivre profondément ancré
> en moi, insidieusement... sans que je m'en
> aperçoive. Je voulais être aimée à tout prix.
> Mais, comme ma foi était éteinte, je ne pou-
> vais pas laisser pénétrer l'Amour de Dieu dans
> mon cœur pour que je sois comblée... Mais
> aujourd'hui, je réapprends à vivre, à m'aimer
> telle que je suis avec la joie que mon Dieu
> d'Amour m'a donnée. Ainsi je peux m'épa-
> nouir et respirer profondément tout en lais-
> sant tomber les barrières qui m'habitaient et
> qui m'empêchaient de vivre.

Ceux qui ont été les témoins oculaires depuis le commencement et qui sont devenus serviteurs de la Parole

Luc, comme les autres écrits chrétiens de
l'heure, accorde une importance capitale
aux premiers témoins de la vie de Jésus.
Redisons-le : l'Évangile n'est pas un traité de
morale mais la transmission d'une expérience, celle de ceux qui ont été les compagnons de Jésus de Nazareth. L'apôtre Jean
traduit ainsi cette même réalité :

> Ce que nous avons entendu, ce que nous avons vu de nos yeux, ce que nous avons contemplé et ce que nos mains ont touché de la Parole de vie, nous vous l'annonçons, à vous aussi, afin que vous aussi, vous soyez en communion avec nous. Et notre communion est communion avec le Père et avec son Fils Jésus Christ. (1Jn 1,1.3).

La foi chrétienne n'est pas idéologie mais transmission d'une expérience de vie : celle des apôtres qui ont été les témoins de Jésus, de sa prédication, de sa mort et de sa résurrection. C'est ce qu'on nomme la tradition apostolique. Paul l'exprime bien dans ses lettres aux communautés chrétiennes :

> Frères, tenez bon et gardez fermement les traditions que nous vous avons enseignées, de vive voix et par lettre. (2Th 2,15)

> Je vous ai transmis ce que j'ai moi-même reçu. J'ai reçu du Seigneur ce qu'à mon tour je vous ai transmis. (1Co 15,3 ; 11,23)

Ainsi par le fait de leur contact direct avec la personne même de Jésus, les premiers témoins deviennent des serviteurs de la Parole. Ils doivent avoir la fidélité de vrais transmetteurs. Cela se comprend davantage si l'on fait appel à la coutume juive. De génération en génération, la *Tora* est transmise de maître en disciple et interprétée pour être gardée vivante. Chaque Juif doit être mémoire vivante de la sagesse reçue depuis Moïse. Il en sera de même des chrétiens qui devront se transmettre la Parole de Jésus et la garder vivante en l'interprétant, à chaque génération, sous l'inspiration de l'Esprit :

> Lorsque viendra le Paraclet-interprète que je vous enverrai, il rendra lui-même témoignage de moi ; et à votre tour vous témoignerez parce que vous êtes avec moi depuis le commencement. (Jn 15,26-27)

L'Esprit devra faire entrer les disciples davantage dans la compréhension du sens « divin » de la vie de Jésus. Ils n'ont pas saisi tout le sens des événements qu'ils ont vécus avec leur maître. Et notamment le sens de sa mort tragique sur la croix. La résurrection a été aussi un « phénomène » qu'ils n'attendaient pas. C'est l'Esprit de Dieu qui va inspirer ces premiers témoins afin qu'ils deviennent des témoins et des serviteurs authentiques de la Parole. C'est ce qui se passera lors de la fête juive de Pentecôte :

> Ils furent tous remplis d'Esprit Saint et se mirent à parler d'autres langues, comme l'Esprit leur donnait de s'exprimer. (Ac 2,4)

Ainsi la foi chrétienne n'est pas d'abord une croyance philosophique. Elle concerne une personne et elle naît du témoignage de ceux qui ont vécu avec cette personne. Un témoignage qui prend toute sa force par l'Esprit du Ressuscité qui parle au cœur du croyant.

Il m'a semblé bon d'écrire un récit ordonné pour toi, honorable Théophile, moi qui ai tout scruté avec rigueur en remontant à la source

Luc s'adresse à un personnage qu'il nomme l'honorable Théophile. Il est peut-être un païen converti qui a déjà reçu la catéchèse de l'Église. D'autres voient en lui un païen auquel Luc présenterait un enseignement de la foi chrétienne. D'autres pensent que sa situation sociale élevée peut en faire un propagandiste de l'ouvrage auprès des païens. Comme son nom signifie « aimé de Dieu », il pourrait être aussi un personnage fictif qui représenterait un ensemble de gens — et plus particulièrement des Grecs — auxquels s'adresse le message de Luc.

Notre écrivain se veut lui aussi un chaînon authentique de la tradition dans ce qu'il va relater à propos de l'homme divin, Jésus. Il dit avoir tout scruté avec rigueur. Ainsi donc, dès la préface de son œuvre, l'évangéliste désire établir un climat de confiance et permettre aux lecteurs de fortifier leur foi en Jésus, l'envoyé de Dieu.

Luc, enfin, parle d'un « récit ordonné ». Il ne s'agit pas de ce que nous appellerions l'ordre chronologique : c'est-à-dire la suite exacte des événements tels qu'ils se sont déroulés dans le temps. Par exemple, il est probable que la venue de Jésus à Nazareth décrite au chapitre 4 s'est déroulée plus tard dans la mission de Jésus, mission qu'il a commencée dans la région de Capharnaüm. Luc, comme tous les évangélistes, cherche à rapporter un témoignage sur Jésus : l'ordre dont il parle doit probablement signifier qu'il veut donner un sens aux faits qu'il va dé-crire, et qu'il va « ordonner » ces événements pour qu'ils nous délivrent toute leur signi-fication pour nos vies.

Enfin, remarquons que le style de ce prologue est calqué sur celui des œuvres pro-fanes de l'époque. En témoigne la dédicace d'un livre écrit par un médecin grec du Ier siècle, Dioscoride :

> Bien que beaucoup aient déjà rassemblé des données sur la préparation des médicaments, sur leur efficacité et sur leurs effets, je vais essayer, très cher Arès, de te montrer que ce n'est pas en vain ni sans raison que j'entre-prends une pareille étude.

Luc n'a-t-il pas voulu montrer à un public très large, celui des Grecs cultivés de son temps, que l'Évangile de Jésus n'était pas seulement réservé aux Juifs, mais qu'il avait une valeur spirituelle capable d'intéresser

tous ceux qui s'interrogeaient sur le sens de
la vie et sur la nature de Dieu?

Rempli de la puissance du Souffle Spirituel, Jésus revient en Galilée

Jésus est conduit par l'Esprit divin qui lui a
donné mission, lors du baptême. Luc insiste
sur l'initiative de Jésus : il possède l'Esprit
dans toute sa plénitude pour accomplir la
mission reçue du Père, et cela malgré les
pièges ou les intrigues du diable (*cf.* Lc 4,1-
13). Durant toute sa vie, Jésus s'inspirera du
Souffle divin qui le fera vivre en intense
communion avec le Père. Jésus amorce donc
son ministère public en Galilée. Très vite, sa
renommée grandit. Alors que Jean accueil-
lait ceux qui venaient vers lui, Jésus ira au-
devant des gens, soit dans leurs assemblées
de prière, soit encore sur les places où les
foules se réunissent, soit même dans les mai-
sons où il sera invité à manger. Il ne se retire
pas du monde, mais il vit dans le monde.

Il enseigne dans leurs synagogues et tout le monde fait son éloge

Son enseignement va apporter sur les Écritures un autre éclairage que celui des rabbis
de son temps. Il ne se contentera pas d'enseigner à quelques disciples. Il veut nourrir
les foules qui sont pour lui comme des brebis

sans pasteurs. Sa prédication sera simple et forte : elle dira l'essentiel de la *Tora*, de la Règle de vie donnée par Dieu. Il parlera avec autorité, au nom de son Père, et non pas comme les scribes. Il traduira l'amour du Père en des gestes concrets : il guérira les malades. Il n'hésitera pas à bousculer les mentalités trop étroites, à remettre en cause certaines traditions qui n'ont gardé de la *Tora*, que la lettre et non l'esprit. Très rapidement, il rencontrera de l'opposition, comme tout vrai prophète. C'est ce que va traduire la visite à la synagogue de Nazareth.

Il vient à Nazara, où il a été élevé. Selon son habitude, il entre à la synagogue, le jour du sabbat

La synagogue est le lieu d'assemblée religieuse des Juifs, dans les villes de Palestine comme dans les colonies juives de cette époque. On y célèbre le sabbat par la lecture de la *Tora* et des Prophètes, qui est suivie d'un commentaire, une sorte d'homélie. Tout Juif adulte (on est adulte dès 12-13 ans) peut y prendre la parole, mais les autorités de la synagogue confient d'ordinaire ce soin à ceux qui sont familiers avec les Écritures :

On lui remet le livre du prophète Isaïe. Il le déroule et il trouve le passage où il est écrit :

« Le Souffle Spirituel du Seigneur-Dieu est sur moi car il a fait de moi son messie. »

En citant Isaïe, Jésus se réfère à l'Esprit qu'il a reçu à son baptême :

Jésus, baptisé, est en prière ; le ciel s'ouvre : le Souffle Spirituel divin descend sur Jésus. (Lc 3,21-22)

Proclamer l'An de grâce du Seigneur

L'Esprit divin a donné à Jésus une mission : celle de proclamer l'An de grâce. Pourquoi, dans la synagogue, s'étonnera-t-on des propos de Jésus sur la grâce ? En commentant le texte d'Isaïe, il s'attarde sur la dernière phrase, une phrase qu'il n'a pas lue complètement. En effet, Jésus aurait dû lire : Il m'a envoyé pour proclamer l'Année de grâce du Seigneur et le Jour de la vengeance de Dieu. Jésus a arrêté la lecture après la première partie de la phrase : Il m'a envoyé pour proclamer l'Année de grâce. Or le Jour de la vengeance de Dieu évoque le Jour du jugement que Jean-baptiste annonçait. Jésus, lui, ne parle ni du Jugement ni de la Colère de Dieu mais de l'An de grâce.

Qu'est-ce que l'Année de grâce ? La Loi de Moïse demande d'organiser une Année de Grâce tous les 50 ans.

> Au Jour du Grand Pardon, vous ferez retentir
> la trompette dans tout le pays. Vous déclare-
> rez « Année sainte » la cinquantième année.
> Vous proclamerez la libération pour tous les
> habitants dans le pays. Chacun retournera
> dans ses biens et dans son clan. (Lv 25,9-10)

Cette loi demandait donc à chacun d'effacer
toutes les dettes. Il fallait que partout on
fasse grâce à tous les débiteurs. Celui qui
avait dû hypothéquer sa terre ou son bétail
— car il était en dette — celui-là retrouve-
rait son bien, même s'il n'avait pas encore
fini de rembourser l'hypothèque. Il était acquitté de sa dette envers le propriétaire, avant
terme et sans aucune condition. Celui qui
avait été contraint de se vendre lui-même
comme ouvrier sans salaire, celui-là recou-
vrait sa liberté et sa dignité.

À notre époque, décréter une Année de
grâce, ce serait voir l'épicier déchirer notre
note de crédit, et notre gérant de banque
libérer notre hypothèque même s'il reste
encore plusieurs paiements à rembourser.
Ce serait permettre aux sans-travail de re-
trouver une dignité en se sentant utiles. Ce
serait abolir tous les apartheids, quels qu'ils
soient.

Cette grâce valait aussi pour les relations
avec Dieu. Selon la *Tora*, si l'on avait été
fautif, on devait réparer en offrant des sacri-
fices, en faisant des dons au Temple, en

remboursant ce qu'on avait volé... C'est ce que Zachée fera :

> « Je donne la moitié de mes biens aux pauvres… et si j'ai volé quelqu'un, je lui rends quatre fois plus. » (Lc 19,8)

Lors de l'Année de grâce, toutes les dettes envers Dieu étaient oubliées : on était gracié. On était quitte de toute réparation, acquitté avant d'avoir racheté sa faute. On était pardonné sans autre condition que d'accueillir la grâce de Dieu.

Voilà donc la mission exceptionnelle que Jésus a conscience de recevoir du Père : inviter les gens de son peuple à vivre l'An de grâce. Il va consacrer sa vie et ses forces à annoncer que le temps présent doit être une Année de grâce continuelle, reprise tous les ans. Et cela, parce que Dieu est le Dieu qui fait grâce et non pas le Dieu qui juge (*cf.* G. Convert, *Le Mystère Jésus*, Bellarmin, 1994, p. 28-30).

Par l'exemple de toute sa vie, Jésus va nous enseigner comment vivre — comme Dieu — d'un amour de gratuité. Il proposera une attitude-test pour vivre de grâce. Ce test, ce sera l'accueil que nous faisons à tous ceux qui sont sans prestige, sans intérêt, à tous ceux qui sont les rejetés de la société : le pauvre, le malade, la veuve, et les pécheurs publics d'alors qu'étaient les bergers, les publicains, les prostituées... Car l'accueil de ces gens ne peut être qu'un accueil gratuit :

> Quand tu donnes un déjeuner ou un dîner, n'invite pas tes amis, ni tes frères, ni tes parents, ni de riches voisins, sinon eux aussi t'inviteront en retour, et cela te sera rendu. Au contraire, quand tu donnes un festin, invite des pauvres, des estropiés, des boiteux, des aveugles, et tu seras heureux parce qu'ils n'ont pas de quoi te rendre. (Lc 14,12-14)

Et aujourd'hui... tout baptisé, toute baptisée, sur qui l'Esprit du Seigneur-Dieu est descendu, devra pouvoir s'approprier ce que disait son maître il y a 2000 ans :

> Le Souffle Spirituel du Seigneur-Dieu est sur moi pour annoncer un message de bonheur aux pauvres.

Ce don de grâce de Dieu, c'est en effet par chaque disciple de Jésus qu'il peut s'accomplir aujourd'hui. C'est là la mission qui lui est confiée à son baptême.

*

*   *

Jésus, mon cœur se ferme à ton esprit
à la rencontre des laids, des estropiés,
des malades et des marginaux.
Fais-moi don de ta grâce :
que je devienne ton visage et tes mains.
Fais de moi un instrument de paix
pour que chaque instant devienne
l'An de Grâce.
Dans un océan de miséricorde,
modèle-moi à ton image
pour qu'au bout de ma vie
pauvre et nu je sois dans tes bras. Amen !

QUESTIONS DE COMPRÉHENSION
ET D'APPROPRIATION

1. Qui est Luc et à qui adresse-t-il son Évangile?

2. Quelle est la manière d'écrire l'histoire au temps de Luc?

3. Qu'est-ce que la foi chrétienne a de spécifique?

4. Qu'est-ce que l'An de grâce?

5. Comment peut-on vivre l'An de grâce aujourd'hui?

6. Qui sont les pauvres, les marginaux d'aujourd'hui?

7. Comment pouvons-nous aider à la libération des pauvres, des malades, des marginaux, etc?

8. Pourquoi l'accueil des pauvres est-il un test de notre manière de vivre en disciple de Jésus?

4ᵉ dimanche ordinaire
Luc 4,16-30

ÉVANGILE DE JÉSUS
selon l'écrit de Luc

Il vient à Nazara, où il a été élevé. Selon son habitude, il entre à la synagogue, le jour du sabbat. Il se lève pour faire la lecture. On lui remet le livre du prophète Isaïe. Il le déroule et il trouve le passage où il est écrit : « Le Souffle Spirituel du Seigneur-Dieu est sur moi car il a fait de moi son messie pour annoncer un message de bonheur aux pauvres. Il m'a envoyé pour proclamer la liberté aux prisonniers et le retour à la vue aux aveugles, pour renvoyer libres les opprimés, pour proclamer l'an de grâce du Seigneur. » Ayant roulé le livre, il le rend au servant et s'asseoit ; dans la synagogue, tous ont les yeux fixés sur lui. Alors, il se met à leur dire : « Cette parole de l'Écriture s'accomplit aujourd'hui pour vous qui l'écoutez. » Et tous lui rendent témoignage ; ils sont surpris des propos sur la grâce qui sortent de sa bouche et ils disent : « N'est-il pas le fils de Joseph, celui-là ? » Alors, il leur dit : « À tout coup, vous allez me dire ce proverbe : "Médecin, guéris-toi toi-même." Tout ce qui s'est passé à Capharnaüm, dont nous avons entendu parler, fais-le aussi ici, dans ta patrie. » Et il dit : « Amen, je vous le dis : aucun prophète n'est accueilli dans sa patrie. Amen, je vous le dis : au temps d'Élie, il y avait beaucoup de veuves en Israël lorsque le ciel demeura fermé pendant trois ans et six mois et qu'il y eut une grande famine sur toute la terre ; mais Élie ne fut envoyé à aucune d'entre elles, sinon à une veuve, à Sarepta de Sidon ! Et il y avait beaucoup de lépreux en Israël, sous Élisée le prophète ; mais aucun d'entre eux n'a été guéri, sinon Naaman, le Syrien ! » Dans la synagogue, tous sont remplis de colère en entendant cela. Les gens se lèvent et l'expulsent hors de la ville. Ils le mènent jusqu'au sommet de la colline, sur laquelle leur ville est bâtie, pour le précipiter en bas. Mais lui, passant au milieu d'eux, suit son chemin.

Cet épisode de la visite à Nazareth ouvre pour ainsi dire la mission de Jésus. Après avoir reçu l'onction de l'Esprit lors de son baptême — qui lui donne d'agir comme Fils de Dieu en qui l'amour divin est parfaitement accompli —, après avoir fait, dans une période de retraite au désert, les choix décisifs de ce qu'il va prêcher, Jésus se rend dans son village natal. À la synagogue, il va offrir comme une sorte de discours-programme de ce qu'il entreprend.

Cette parole de l'Écriture s'accomplit aujourd'hui pour vous qui l'écoutez

L'Évangile de dimanche dernier nous a donné la première partie du récit. Jésus se rend à la synagogue de Nazareth, le village de sa jeunesse. La synagogue est le lieu de prière qui rassemble les gens chaque sabbat. Le sabbat rythme la semaine et ouvre ainsi régulièrement un espace communautaire à la réflexion et à la prière. En semaine, la synagogue sert d'école pour les jeunes garçons. Pour ouvrir une synagogue, il faut un minimum de 10 Juifs de plus de 13 ans. Depuis sa jeunesse, Jésus a donc satisfait régulièrement à ce rite sacré de la semaine. Lors du culte, on fait lecture de passages de la *Tora* et des prophètes. Il est habituel que le chef de la synagogue offre à des rabbis de passage de commenter un texte. Dans le livre des Actes, on verra Paul user de ce privilège pour faire connaître Jésus et son message.

Le jour du sabbat, [Paul et ses compagnons] entrèrent dans la synagogue. Après la lecture de la *Tora* et des prophètes, les chefs de la synagogue leur firent dire : « Frères, si vous avez quelques mots d'exhortation à adresser au peuple, prenez la parole. » (Ac 13,14-15)

Ce jour-là, à Nazareth, Jésus choisit un passage du livre d'Isaïe. Le prophète y annonçait à ses compatriotes, qui étaient exilés à Babylone, que leur retour en Israël serait comparable à l'An de grâce. Il nous faut rappeler ce qu'est l'An de grâce. On en trouve la description dans le livre du Lévitique au chapitre 25. Cet An de grâce devait avoir lieu tous les 50 ans. Alors les dettes de tous devaient être remises, les esclaves libérés, et les propriétés hypothéquées devaient être rendues à leur propriétaire d'origine. Cette situation annoncée par Isaïe ne s'est peut-être pas réalisée pleinement. Mais l'on reprenait l'oracle pour décrire ce que devrait être la tâche du messie que le peuple attendait. L'homme consacré par Dieu pour être son roi, le messie, devrait accomplir ce programme : libérer les esclaves, redonner la liberté aux opprimés... Cette grâce (comme on dit : *faire grâce à quelqu'un*) devait aussi s'entendre au plan spirituel. On sait que, dans le langage biblique, le péché est considéré comme une dette. La traduction littérale du « Notre Père » dit :

> Remets-nous nos dettes comme nous avons remis à ceux qui nous devaient. (Mt 6,12)

Ce que la traduction liturgique traduit par : « Pardonne-nous nos fautes. »

Ils sont surpris des propos sur la grâce qui sortent de sa bouche

Dieu fait grâce, dit Jésus, et cela s'accomplit aujourd'hui. Il faut se souvenir du message de Jean-baptiste. Lui aussi annonçait que Dieu allait choisir un messie pour rétablir la situation de son peuple. Mais Jean parlait plutôt du Jour de la Colère de Dieu où l'Éternel allait punir les malfaisants. L'oracle d'Isaïe parlait aussi de ce Jour de jugement mais Jésus semble avoir arrêté le texte précisément avant ce verset :

> Le Seigneur m'a envoyé proclamer le Jour de la vengeance de notre Dieu. (Is 61,9)

Ainsi Luc résume ce que sera l'Évangile de Jésus, son interprétation de la *Tora* : Dieu est amour et il est pardon. Sa miséricorde se manifeste envers tous : les bienfaisants et les malfaisants. La prédication de Jésus viendra expliciter cela dans des exemples très forts :

> Si vous aimez ceux qui vous aiment... les pécheurs aussi aiment ceux qui les aiment. Si vous faites du bien à ceux qui vous en font... les pécheurs eux-mêmes en font autant. Si vous prêtez à ceux dont vous espérez qu'ils vont vous rendre... même des pécheurs prêtent aux pécheurs pour qu'on leur rende l'équivalent. Mais aimez vos ennemis, faites du bien et prêtez sans rien espérer en retour... vous serez les fils du Très-Haut car il est bon, lui,

pour les ingrats et les malfaisants. Soyez miséricordieux comme votre Père est miséricordieux. (Lc 6,32-36)

Le Dieu de Jésus n'est pas le juge punisseur mais le Père qui aime et pardonne. La
parabole de l'Enfant prodigue en donnera
une belle illustration. Cette interprétation
de la *Tora* est ce qui fait l'émerveillement
des auditeurs de Jésus. Ce sera aussi ce qui
fera le succès de Jésus aux premiers temps
de sa mission. Il traduira cette miséricorde
du Père par ses gestes de guérison et de
pardon. Illustrons cette miséricorde par ce
texte de Lancelot Andrewes — un Anglais
du xviᵉ siècle — qu'il intitule « acte de plai-
doirie » adressé à Dieu :

Ta miséricorde qui est multiple, grande, abondante, éternelle, débordante. Ta miséricorde,
grâce à laquelle nous ne sommes pas anéan-
tis, qui prévient, suit, entoure, pardonne,
est tendre, douce, pardonnant jusqu'à 77 fois
7 fois, ne haïssant rien de ce qu'elle a fait, ne
voulant pas qu'aucun périsse, ramenant sur
l'épaule la brebis égarée, balayant la maison à
la recherche de la drachme perdue, remet-
tant les 10 000 talents, bandant les plaies de
l'homme laissé à demi mort, allant joyeuse-
ment à la rencontre du fils prodigue, qui
accueillit Pierre après son reniement, délivra
la femme surprise en adultère, accueillit
Marie-Madeleine, ouvrit le paradis au larron,

se tient à la porte et frappe... [Miséricorde] dont le temps est le jour du salut. J'ai différé de me repentir, mais Tu as prolongé ta patience par miséricorde, ô Toi l'inépuisable source.

Tout ce qui s'est passé à Capharnaüm, dont nous avons entendu parler, fais-le aussi ici, dans ta patrie

Il semble que l'enthousiasme des auditeurs n'ait été que passager. Comment comprendre cela ? Est-ce à cause de la jalousie de gens qui sont frustrés parce que Jésus a choisi Capharnaüm comme centre de ses activités ? Cela se pourrait. Capharnaüm était une petite cité, mais elle était plus importante que Nazareth qui ne comptait que quelques dizaines de familles. La suite du texte va élargir la question. Jésus va donner quelques exemples tirés des Écritures pour montrer que Dieu ne prodigue pas seulement sa miséricorde aux Juifs. Il leur cite donc l'exemple d'Élie qui aida une veuve habitant Sarepta dans le territoire païen de Sidon et celui d'Élisée qui guérit un autre païen, Naaman le syrien. Dieu ne limite pas son amour aux membres de son peuple. Il l'étend à tous les humains de quelque race, langue, ou classe soient-ils. C'est d'ailleurs la définition même de la miséricorde. Louis-Joseph Lebret, dominicain, décrit ainsi la miséricorde :

Les chrétiens ne réfléchissent sans doute pas assez sur la béatitude de la miséricorde. Il ne s'agit pas d'une simple pitié ou même d'une souffrance ressentie à la rencontre d'un être malheureux. La miséricorde, c'est la prise de la misère de l'autre dans son cœur, c'est la misère de l'autre qui devient nôtre, d'abord comme une brûlure profonde, mais tout de suite comme une exigence d'action. La misère de l'autre. Il s'agit de l'affligé par toute misère. Celui qui a faim, celui qui n'est pas vêtu, celui qui n'est pas logé, celui qui est infirme, celui qui est malade, celui qui est chômeur. Le pauvre d'esprit, le mal doué, l'irrésolu. L'ignorant. Le méprisé, le délaissé, le trahi. Celui qui est sans ami, sans au moins un ami. Le clochard, l'ivrogne, le désespéré. Mais aussi le riche égoïste, le savant si spécialisé qu'il oublie l'essentiel, le vaniteux plein de soi, l'orgueilleux qui cherche la gloire, le dominateur qui opprime. Chaque homme, par quelque point, est un miséreux. Et c'est pour cela qu'il faut tous les loger dans son cœur, et par là ressembler chaque jour plus au Christ qui logea dans son cœur toutes les misères de tous les hommes. (*L'Évangile de la miséricorde*, Cerf, 1965, p. 165-166)

Mais alors si la miséricorde de Dieu s'étend à tous, aux bons et aux pécheurs, voilà qu'aux yeux des gens de Nazareth, un des piliers de la religion s'effondre. Pour beaucoup, la religion consiste à faire le bien pour mériter le salut. C'est sans doute le besoin de sécurité, fondamental à tout être humain, qui le pousse à penser ainsi sa relation avec Dieu. En respectant scrupuleusement les règles dictées par Dieu, je m'assure de sa bienveillance. N'agissons-nous pas ainsi les uns envers les autres ? Cette relation régie par la justice (le donnant-donnant) nous semble peut-être moins exigeante et plus sécurisante que celle régie par la miséricorde... du moins de notre côté. Voir Dieu donner sa grâce sans condition fragilise peut-être notre relation avec lui. À quoi sert-il de faire tant d'efforts, d'aller chaque sabbat à la synagogue, de jeûner, de faire l'aumône, de payer sa dîme... si Dieu guérit et prodigue ses bienfaits à celui qui ne croit pas en lui. Jacques Duquesne, auteur du livre *Le Dieu de Jésus*, s'exprime ainsi :

> J'ai réalisé que la vision archaïque de Dieu existait toujours dans la tête des gens. Si vous leur demandez : « Qui est Dieu ? », vous verrez qu'ils ont à peu près la même vision que l'on pouvait avoir il y a quatre mille ans, c'est-à-dire celle d'une puissance cachée, superpuissante, dont il faut se concilier la bienveillance. Souvent on leur a présenté Dieu comme un Dieu justicier. Cela vient beaucoup de l'Ancien Testament. Certains textes présentent parfois un Dieu qui surveille tous vos actes, qui fait la comptabilité de toutes vos actions, même de toutes vos pensées. C'est une vision

terrible ! Et c'est un peu dommage qu'on n'explique pas, dans les homélies des messes, que cela a été écrit à telle époque de l'histoire juive, et que cela peut se comprendre pour telles et telles raisons. Cela ne correspond pas du tout à ce que Jésus a annoncé, à ce qu'est le Dieu de Jésus. (Revue *Nouveau Dialogue*, n° 119)

Dans la synagogue, tous sont remplis de colère

Quel est donc le Dieu de Jésus ? N'est-il pas comme ce patron qui paie le même salaire à ceux qui ont travaillé une heure et à ceux qui ont porté le poids de la chaleur toute la journée ? N'est-il pas le Père qui fait tuer le plus beau veau de l'étable pour un fils qui a quitté la maison et dépensé toute sa part d'héritage en folies, et ne donne pas un chevreau à l'aîné qui a toujours été correct ? N'est-il pas le Dieu qui accueille les publicains qui sont des collaborateurs et des voleurs et critiquent les gens pieux comme les Pharisiens ? Ce Dieu-là ne peut-il pas nous apparaître injuste ? Et ne serait-ce pas cette image d'un Dieu qui leur paraît injuste qui va conduire les gens de Nazareth à la colère contre ce prédicateur dérangeant, déraisonnable ? Ne considèrent-ils pas alors comme une semblable injustice que Jésus ait préféré Capharnaüm à Nazareth : n'y avait-il pas dans cette cité un publicain col-laborateur des Romains (Matthieu, par exemple) et des soldats romains païens (*cf.* Jn 4,46), alors que Nazareth ne devait compter que des Juifs pieux et fidèles ?

Pour certains — et notamment pour les chefs et certains Pharisiens qui étaient l'élite religieuse —, donner ainsi l'image d'un Dieu qui aime les bons comme les mauvais, c'est encourager les pécheurs. C'est aussi saper les bases de l'ordre moral. La hargne du Phari-sien Saül, le futur Paul, contre les chrétiens et leur maître Jésus, s'explique ainsi. Paul était fier de son appartenance au peuple d'Israël et de sa fidélité aux règles de la *Tora* :

> Moi, circoncis le huitième jour, de la race d'Israël, […] pour la *Tora*, pharisien, pour le zèle, persécuteur de l'Église, pour la droiture qu'on trouve dans la *Tora*, devenu irrépro-chable. (Phi 3,4-6)

Il faudra que Paul rencontre le Ressuscité pour qu'il prenne conscience que Dieu a donné raison à ce maître Jésus puisqu'Il l'a sauvé de la mort :

> Toutes ces choses, je les ai considérées comme une perte à cause du Christ […] afin d'être trouvé en lui, non plus avec une droiture à moi, qui vient de la *Tora*, mais avec une droi-ture qui vient de Dieu et s'appuie sur la foi. (Phi 3,7-9)

Mais, peut-être encore plus profondément, cette colère ne vient-elle pas de notre résistance à la miséricorde ? Car si Dieu nous aime tous d'un amour miséricordieux, les justes comme les injustes, nous laisser aimer de cette manière nous conduit alors à aimer nous aussi avec la même miséricorde. Et aimer gratuitement, généreusement, est une exigence qui peut nous sembler impossible. De là notre frustration et notre colère. À moins de faire comme l'apôtre Paul, et de laisser vivre en nous Jésus pour vivre comme lui.

Ils le mènent jusqu'au sommet de la colline, sur laquelle leur ville est bâtie, pour le précipiter en bas

Luc veut sans doute évoquer ce que sera la fin tragique de la vie de Jésus. C'est en effet sur la colline du Golgotha, aux portes de la ville de Jérusalem, que Jésus sera mis en croix.

Mais lui, passant au milieu d'eux, suit son chemin

Plutôt que de spéculer sur le comment de cette sortie de Jésus — comment a-t-il échappé à la foule en colère et n'est-ce pas un miracle qui montre la puissance divine de Jésus? —, il semble préférable de voir là comme un refrain de l'Évangile qui décrit la présence de Jésus au milieu de son peuple, marchant vers l'accomplissement de sa mission et de son destin. Dans le livre des Actes rédigé aussi par Luc, nous trouverons cette notation :

> Dieu l'a oint de l'Esprit divin, lui qui a passé en faisant le bien et en guérissant tous ceux qui étaient tombés aux mains du diable, car Dieu était avec lui. (Ac 10,38)

Les évangiles nous montrent aussi que c'est toujours librement que Jésus suivra son chemin, même si celui-ci le conduira à la mort de la croix :

> Il me faut, aujourd'hui et demain et le jour suivant, suivre mon chemin car il n'est pas possible qu'un prophète périsse hors de Jérusalem. (Lc 13,33)

On donne souvent comme conclusion de ce texte que l'Évangile a été refusé par le peuple juif (représenté par les gens de Nazareth, sa patrie) et qu'il a été ainsi proposé aux peuples païens. On oppose lapidairement «l'Israël de la justice et l'Église de la miséricorde». Mais il ne faudrait pas opposer Israël et l'Église d'une façon simpliste et injuste ; ainsi Israël serait le peuple d'un Dieu de justice et le christianisme serait l'Église du Père de toute miséricorde. Or il y a des

pages merveilleuses de la Bible de Moïse qui
décrivent la tendresse du Dieu miséricordieux et plein d'amour :

> Le Seigneur-Dieu passa devant Moïse et pro-
> clama : « Le Seigneur, le Seigneur, Dieu misé-
> ricordieux et bienveillant, lent à la colère, plein
> de fidélité et de loyauté, qui reste fidèle à des
> milliers de générations, qui supporte la faute,
> la révolte et le péché. » (Ex 34,6)

Et il y a aussi de terribles pages chrétiennes
qui parlent d'un Dieu vengeur et punisseur.
Et il y a de nombreux fils d'Israël qui croient
en la miséricorde de Dieu et de nombreux
baptisés en Jésus qui ne vivent que sous la
crainte de Dieu. N'est-ce pas plutôt en chaque être humain que se trouvent à la fois le
pharisien et le publicain, celui qui se fie en
lui-même et se glorifie de sa droiture, et
celui qui se fie en l'amour du Père et se
laisse tout simplement aimer ? Celui-là
pourra redire pour lui-même cette belle
méditation d'Auguste Valensin sur l'heure
de la mort :

> Les sentiments que je voudrais avoir à cette
> heure : penser que je vais découvrir la Ten-
> dresse. Il est impossible que Dieu me déçoive :
> l'hypothèse seule est énorme ! J'irai à lui et je
> lui dirai : je ne me prévaux de rien, sinon
> d'avoir cru en votre bonté. C'est bien là en
> effet ma force, toute ma force, ma seule force.

Que les maîtres de la vie spirituelle disent ce qu'ils veulent, parlent de justice, d'exigences, de craintes, mon juge à moi, c'est celui qui tous les jours montait sur la tour et regardait à l'horizon si l'enfant prodigue lui revenait. Celui qui craint n'est pas encore parfait dans l'amour. Je ne crains pas Dieu, mais c'est moins encore parce que je l'aime que parce que je me sais aimé de lui. Mais il faut que je fasse ce geste personnel d'accepter. Il y a de malheureux théologiens qui ont peur (sans se l'avouer) de faire Dieu trop bon. Il est bon, mais il n'est pas faible, qu'ils disent. Faible par amour, comme mon Père en est plus grand et plus beau! La croix me donne raison. (*La joie dans la foi*, Aubier-Montaigne, 1955, p. 106-107)

*

*　*

Jésus, Fils du Dieu-Père,
fais-moi un cœur de chair
qui accueille ta grâce de miséricorde
et de tendresse.
Quand mon cœur s'endurcit, cogne à ma porte
et souffle à mon oreille les silences
qui délivrent et purifient
pour qu'à mon tour je sois porteur
de ton cœur tendre et libre,
témoin de ton ivresse d'amour
auprès de mes frères et sœurs. Amen!

QUESTIONS DE COMPRÉHENSION
ET D'APPROPRIATION

1. Qu'est-ce que l'An de grâce?
2. Comment s'explique la colère des gens de Nazareth?
3. Qu'est-ce que Jésus veut faire comprendre avec les exemples des gestes d'Élie et d'Élisée?
4. Ne doit-on pas mériter l'amour de Dieu? et des prochains?
5. Qu'est-ce que la miséricorde? Qu'entend-on aujourd'hui par le mot pitié? Comment je vis la miséricorde?
6. Est-ce que nos communautés chrétiennes donnent vraiment le témoignage du Dieu de Jésus qui est pleinement et seulement miséricorde?

5ᵉ dimanche ordinaire
Luc 5,1-11

ÉVANGILE DE JÉSUS
selon l'écrit de Luc

Un jour, alors que la foule se presse autour de lui pour écouter la Parole de Dieu, [Jésus] se tient sur le bord du lac de Génésareth. Il voit deux barques qui se trouvent au bord du lac ; les pêcheurs en sont descendus pour laver leurs filets. Étant monté dans l'une des barques — celle qui appartient à Simon —, il lui demande de s'éloigner du rivage et d'aller un peu au large. S'étant assis, il enseigne la foule depuis la barque. Quand il a fini de parler, il dit à Simon : « Va au large, en eau profonde, et descendez vos filets pour prendre du poisson. » Simon lui répond : « Maître, nous nous sommes fatigués toute la nuit sans rien prendre ; mais, sur ta parole, je vais descendre les filets. » Ayant fait cela, ils prennent une très grande quantité de poissons : leurs filets se déchirent ! Ils font signe à leurs compagnons

qui sont dans l'autre barque, de venir leur
donner un coup de main. Ils viennent et remplissent les deux barques à tel point qu'elles
s'enfoncent. Voyant cela, Simon-Pierre tombe
aux pieds de Jésus en disant : « Éloigne-toi de
moi, seigneur, car je suis un homme pécheur ! » En effet l'effroi l'a saisi, lui et tous
ceux qui sont avec lui, à cause de la prise des
poissons qu'ils ont capturés. C'est la même
chose pour Jacques et Jean, fils de Zébédée,
qui sont les compagnons de Simon. Jésus dit
à Simon : « Ne frémis pas, maintenant, ce sont
des humains que tu prendras vivants. » Alors,
ramenant les barques à terre, laissant tout, ils
le suivent.

À travers l'épisode de Nazareth (*cf.* Lc 4,16-
30), Luc a d'abord décrit comme un rac-
courci de ce que sera la mission de Jésus. Le
premier succès auprès des foules se trans-
formera en rejet de l'Évangile de la grâce.
Jésus s'établit à Capharnaüm, une cité située
au bord du lac de Génézareth. Luc raconte
alors les premières prédications et guérisons
en Galilée (Lc 4,31-41). Mais il lui faut aller
porter son message de la miséricorde aux
autres cités (*cf.* Lc 4,42-44). Pour cette mission, Jésus va se chercher des collaborateurs.

La foule se presse autour de lui pour écouter la Parole de Dieu

Voilà le décor de cet épisode. Un décor qui n'est pas secondaire... mais qui va au contraire tracer le sens de l'événement. En effet, de même que le repas des pains multipliés (Lc 9,11) prendra place au soir d'une longue journée de prédication, de même la pêche abondante viendra prolonger l'enseignement de Jésus :

> Quand il a fini de parler, il dit à Simon : « Va au large... » (v. 4)

L'action de Jésus, le geste qu'il pose doit se comprendre comme une façon de « concrétiser » son enseignement, d'en donner le sens. C'est un mime de la parole. Le pain est multiplié pour nourrir les foules. De même que Jésus a nourri de la Parole de vie divine par son enseignement, de même l'Évangile nourrira l'Église tout au long de l'histoire. La pêche aura aussi un lien avec la Parole. Jésus avait sans doute l'habitude d'utiliser une barque dans ses prédications. Il se libère ainsi de la pression de la foule et se donne le moyen d'être mieux entendu. Le lac abonde en petites anses circulaires qui forment des arénas naturelles où la parole se propage et s'amplifie.

Jésus commente la Parole de Dieu, la *Tora*, comme l'appellent les Juifs. À la manière d'un rabbi, il donne sa façon personnelle d'interpréter le message divin. Mais les autres rabbis appuyaient toujours leur parole sur l'autorité de leurs prédécesseurs : « Comme rabbi Untel a dit... » est une expression consacrée dans l'enseignement. Cela manifeste d'ailleurs la « tradition », la transmission, qui se fait de génération en génération, de la Parole de Dieu. Cela en montre aussi le caractère vivant car chaque génération a son interprétation propre. Les récits évangéliques nous disent que les foules étaient attirées parce que Jésus parlait avec autorité :

> Il descendit à Capharnaüm, ville de Galilée. Il les enseignait le jour du sabbat et ils étaient frappés de son enseignement parce que sa parole était pleine d'autorité. (Lc 4,31)

L'Évangile de Matthieu traduira cette autorité par des formules qu'on connaît bien :

> Vous avez appris qu'il a été dit aux anciens... Et moi je vous dis... (Mt 5,21)

Cette autorité de Jésus se manifeste aussi par les gestes de guérison qu'il opère :

> Au coucher du soleil, tous ceux qui avaient des malades les lui amènent ; et lui, imposant les mains à chacun d'eux, les guérissait. (Lc 4,40)

Après que Jésus eut chassé un esprit démo-
niaque d'un homme, l'effroi s'empare des
assistants qui se disent : « Quelle est cette parole ? » Il commande aux esprits impurs avec
autorité et puissance. (Lc 4,36)

Va au large, en eau profonde

Comme il est courant dans les écrits bibliques, la mer, les eaux profondes et obscures
sont ici le lieu symbolique des forces des
ténèbres, des puissances du mal. Citons le
psaume qui parle des victoires de Dieu sur
le mal :

> Tu as maîtrisé la mer par ta force, fracassant
> la tête des dragons sur les eaux ; tu as écrasé
> les têtes de Léviathan. (Ps 74,13-14)

Évoquons aussi l'ange de l'Apocalypse :

> Je vis un ange qui descendait du ciel. Il
> avait à la main la clé de l'abîme. Il s'empara
> du dragon qui est le Diable et Satan... Il le
> précipita dans l'abîme qu'il scella sur lui.
> (Ap 20,1-3)

Même si nous sommes sur les bords du
lac de Génézareth, on sait que les gens de la
région appellent ce lac : la mer de Galilée.
C'est là que Simon est invité à aller descendre ses filets. Voilà indiquée, par Jésus, la
mission qu'il proposera à ceux qui devien-
dront ses collaborateurs. Comme lui, ils
devront commander avec son autorité et sa

puissance aux esprits du mal, relever ceux
que le mal a terrassés, imposer les mains
aux malades et les guérir, annoncer à tous
l'Évangile de la miséricorde de Dieu-Père
(*cf.* Lc 4,43). Le livre des Actes des apôtres
décrira comment Pierre et ses compagnons
vont accomplir cette tâche après le départ
de Jésus. Donnons quelques exemples :

> Pierre et Jean montaient au Temple... On y
> portait un homme qui était infirme depuis sa
> naissance... Quand il vit Pierre et Jean, il les
> sollicita pour obtenir une aumône. Pierre lui
> dit : « De l'or ou de l'argent, je n'en ai pas ;
> mais ce que j'ai, je te le donne ; au nom de
> Jésus Christ le Nazôréen, marche ! » Et le pre-
> nant par la main droite, il le fit lever... D'un
> bond il fut debout et marchait. (Ac 3,1-8 *pas-
> sim*)

> On en venait à sortir les malades dans les
> rues, on les plaçait sur des lits ou des civières,
> afin que Pierre, au passage, touche au moins
> l'un ou l'autre de son ombre. La multitude
> accourait aussi des localités voisines de Jéru-
> salem, portant des malades et des gens que
> tourmentaient des esprits malins et tous
> étaient guéris. (Ac 5,15-16)

> Pierre leur dit : « Convertissez-vous ; que cha-
> cun de vous reçoive le baptême au nom de
> Jésus Christ pour le pardon des fautes, et vous
> recevrez le Souffle spirituel divin. » (Ac 2,38)

> Chaque jour, au Temple comme à domicile, ils ne cessaient d'enseigner et d'annoncer l'Évangile de Jésus messie. (Ac 5,42)

> Une grande puissance marquait le témoignage rendu par les apôtres à la résurrection du Seigneur Jésus, et une grande grâce d'amour était à l'œuvre chez eux tous. (Ac 4,33)

Dans le récit de Matthieu, on retrouvera aussi l'image du filet et de la pêche :

> Le règne de Dieu est semblable à un filet qu'on jette en mer et qui rassemble toutes sortes de poissons (Mt 13,47).

Et le récit de Jean dira que Jésus donnera sa vie pour rassembler dans l'unité les enfants de Dieu qui ont été dispersés (Jn 11,52). Voilà donc l'appel que Jésus lance à Simon et à ses compagnons :

> Maintenant, ce sont des humains que tu prendras vivants. (v. 10)

Mais, sur ta parole, je vais descendre les filets

Regardons maintenant la réaction de Simon à l'appel lancé par Jésus. La situation de Simon et de ses compagnons est aussi symbolique. Ils ont peiné et ils n'ont pris aucun poisson. La description se rapproche du récit de Matthieu qui parle des foules comme de brebis sans pasteur et donc dispersées

(*cf.* Mt 9,36), et de la moisson (c'est-à-dire
le rassemblement des fils et filles de Dieu)
qui a besoin d'ouvriers :

> La moisson est abondante mais les ouvriers
> peu nombreux. Priez le maître de la mois-
> son d'envoyer des ouvriers à sa moisson.
> (Mt 9,37-38)

Que décrivent ces images ? Elles nous
disent la situation qui est celle du peuple de
Dieu au temps de Jésus : le pays est occupé
par les forces romaines et les Juifs sont divisés entre eux devant cette situation d'oppression. Certains pactisent plus ou moins
avec l'occupant comme les familles riches,
les Sadducéens ; d'autres offrent une résistance passive et morale comme les Pharisiens, d'autres pratiquent la guérilla contre
l'armée romaine comme ceux qui devien-
dront les Zélotes.

Mais plus profondément encore, c'est sans
doute au plan de la foi, de la vision de Dieu,
que les Juifs sont dispersés et divisés : Dieu
s'occupe-t-il vraiment de son peuple ? Ou
l'a-t-il abandonné ? Dieu est-il vraiment
puissant ? Comment peut-il laisser sa gloire
ternie par l'occupation de son peuple ? Ou
bien cette situation est-elle un châtiment de
Dieu pour les fautes d'Israël ? Dieu devrait-
il intervenir pour juger les méchants, les
détruire... et ainsi purifier son peuple ? Ou

bien est-ce le temps de la grâce et de la miséricorde de Dieu ?

Simon est peut-être conquis par la prédication de Jésus qui parle de réaliser le temps de la grâce et de la réconciliation. Il est peut-être sensible à l'autorité de ce rabbi qui ne parle pas comme les scribes. Pour lui, celui qui explique la *Tora* de Dieu avec une telle autorité doit être crédible :

> Maître... sur ta parole, je vais descendre les filets. (v. 5)

C'est ce qu'il fait et la pêche va être abondante. Simon se trouve ainsi mis en présence d'une force de vie sur-naturelle. Il a confiance que cette force de Jésus sera capable de vaincre tout ce qui divise son peuple et lui apporte la mort.

« *Éloigne-toi de moi, seigneur, car je suis un homme pécheur !* »

Pierre retrouve la réaction de ceux qui sont mis en présence du divin. Rappelons-nous la réaction de Moïse devant le buisson ardent :

> Le Seigneur-Dieu dit à Moïse : « N'approche pas d'ici ! Retire tes sandales de tes pieds, car le lieu où tu te tiens est une terre sainte... » Moïse se voila la face car il craignait de regarder Dieu. (Ex 3,4-6)

Et celle d'Isaïe dans le Temple :

> Je vis le Seigneur-Dieu assis sur un trône élevé,
> sa traîne remplissait le Temple. Des anges
> criaient : « Saint, saint, saint, le Seigneur, le
> tout-puissant... » Je dis alors : « Malheur à moi !
> Je suis perdu, car je suis un homme aux lèvres
> impures, j'habite au milieu d'un peuple aux
> lèvres impures, et mes yeux ont vu le roi, le
> Seigneur, le tout-puissant. » (Is 6,1-5)

Comment comprendre semblables réactions ? Devant la force rayonnante de la sainteté, on se sent pécheur. La première réaction devant celui qu'on découvre saint est sans doute de se juger soi-même, sinon de se sentir jugé. On se sent petit... on mesure davantage sa faiblesse, sa pauvreté, sa misère... C'est pourquoi il faut être invité à s'approcher : Ne frémis pas... ne crains pas... Il ne s'agit pas de la peur panique mais de cet effroi, de ce frisson intérieur dont on est saisi devant ce qui est grand et sacré.

Pourtant, Dieu, le Dieu de Jésus, est Celui qui veut s'approcher de nous, et qui pour cela se fait petit et pauvre. Car Dieu qui n'est qu'Amour ne peut qu'être humble. Aimer ce n'est pas déceler les imperfections de celui qu'on aime... c'est au contraire aider l'aimé à faire grandir en lui le beau et le bon, qui sont en lui comme promesse de vie et d'amour.

Voilà ce que peut réaliser en nous la parole de Jésus car elle est une parole dans laquelle il nous livre tout son être et qui nous communique ainsi sa force d'aimer. Cet amour de Jésus nous rejoint jusque dans nos ténèbres, dans notre péché le plus caché. Pour dire cela, la tradition chrétienne dira que le Christ est descendu dans les enfers. Le mot latin *inferi* (enfers) signifie justement les eaux inférieures. Mais si le Christ descend dans l'enfer du mal, c'est pour remettre debout ceux dont le péché a fait des morts spirituels.

La pêche en eau profonde est symbole de l'activité de guérison et de libération qui est celle de Jésus et qui devra devenir celle de ses disciples. La pêche rassemble les poissons pour les sortir des eaux infernales, comme l'Évangile veut rassembler les humains en les arrachant à l'enfer du mal et de la mort spirituelle.

Jésus dit à Simon : « Ne frémis pas ; maintenant, ce sont des humains que tu prendras vivants. »

On aura noté que le récit est centré sur Simon. Ses compagnons sont mentionnés, mais toujours en référence à lui. Jacques et Jean ont droit à être nommés, mais le frère de Simon, André, est oublié. Enfin, Luc

donne à Simon le surnom de Pierre (Roch)
que Jésus lui attribuera. Cela n'est-il pas pour
signifier que Simon est ici le représentant de
tout disciple. Il est le Roc (la pierre) sur
laquelle se construira l'assemblée fraternelle
des disciples de Jésus. Rappelons-nous la
parabole de la maison :

> Celui qui vient à moi, écoute mes paroles et
> les met en pratique... est comparable à celui
> qui bâtit sur le roc. (Lc 6,47-48)

Jésus concrétise cette parabole à propos
de Simon qui a confessé sa foi en lui comme
étant le messie :

> Heureux es-tu, Simon... Je te déclare que tu
> es Pierre [Roch] et que sur cette pierre [ce
> roc] je bâtirai mon Église [mon assemblée].
> Et la puissance de la mort n'aura pas de force
> contre elle. (Mt 16,17-18)

Être Pierre, dans l'Église, est donc une
fonction qui symbolise ce que signifie « être
disciple de Jésus ». Le disciple est celui qui
mise toute sa vie sur la parole du maître.
Dans le livre des Actes, Luc montrera la place
de Pierre aux premières heures de la communauté. C'est Pierre qui prend la parole
au nom des disciples :

> En ces jours-là, Pierre se leva au milieu des
> frères — il y avait là un groupe d'environ 120
> personnes — et il déclara... (Ac 1,15)

Alors s'éleva la voix de Pierre, qui était là avec les Onze, et il s'exprima en ces termes… (Ac 2,14)

Certes Pierre n'est pas parfait. On sait qu'il ira même jusqu'à renier Jésus lors de sa comparution devant le Sanhédrin. En cela, n'est-il pas aussi le représentant de tous les disciples qui seront souvent infidèles ? Mais Jésus lui demandera, à partir de son expérience de faiblesse, de savoir relever les autres :

Simon, j'ai prié pour toi afin que ta foi ne disparaisse pas. Et toi, quand tu seras revenu, affermis tes frères. (Lc 22,31-32)

Pêcheurs d'hommes… Ce mot a souvent pris dans l'histoire chrétienne une signification bien étroite d'agent recruteur. Le missionnaire devait convertir à tout prix pour sauver de la perdition tous ceux qui n'étaient pas baptisés. On jaugeait l'apostolat au nombre des baptêmes.

L'image de la pêche et des pêcheurs est-elle encore compréhensible pour nos contemporains ? Comment les chrétiens peuvent-ils être pêcheurs d'hommes, c'est-à-dire travailler à la libération des puissances de division, d'oppression pour bâtir la communion entre les humains ? Lorsqu'on regarde notre monde, il y a certes de belles choses qu'il ne faut pas occulter et ignorer mais il y a aussi des drames : tant de peuples qui s'entretuent : en Algérie, en Irlande, au Cambodge, au Rwanda... tant de jeunes de notre monde riche qui se suicident... tant de familles déchirées, de couples désunis... tant de gens exploités, vivant de misère... Contre cette marée de souffrances, qui sèmera des graines de bonté et d'espérance ? Contre ces forces de division et de destruction, qui vivra la réconciliation, la volonté de communion ?

Les gestes de solidarité, d'unité sont trop souvent cachés et méconnus. Ils peuvent être ceux de particuliers, mais aussi ceux de groupes : associations, syndicats, services d'entraide, coopératives. Le disciple de Jésus y est-il présent ? L'Église de Jésus ne sera crédible aujourd'hui que si ses membres partagent les efforts qui sont faits pour faire advenir la paix, la justice, l'unité. Dans un monde pluraliste, où coexistent croyants et incroyants, il est important que chacun conjugue ses forces avec celles des autres, de quelque religion ou philosophie soient-ils ! En effet, partout où se bâtit la communion, le disciple de Jésus doit déceler l'Esprit divin à l'œuvre. L'Esprit travaille dans tous les cœurs de bonne volonté, même si ceux-ci ignorent ou méconnaissent Dieu.

La tempête de verglas du siècle, qui s'est abattue sur le Québec en 1998, nous a donné de magnifiques exemples de solidarité et de générosité : ceux d'infirmiers et d'infirmières, de bûcherons et de monteurs de lignes, parfois venus de régions éloignées ou retraités reprenant du service ; mais aussi exemples de jeunes faisant de longues journées pour préparer de la nourriture, servir et réconforter ; et encore d'artistes venant bénévolement animer les longues journées d'attente. On ne dira jamais assez comment beaucoup ont voulu et su faire leur part, souvent discrètement.

Mais si les chrétiens doivent travailler avec tous les humains de bonne volonté, il faut aussi que notre Église, notre communauté de disciples, soit un exemple de vraie communion. Car c'est à l'amour vécu entre nous que le monde peut nous reconnaître comme disciples de Jésus. Que pourrait signifier cette mission de travailler à rassembler les humains — pour ensemble se libérer de toutes les forces du mal —, si la communauté chrétienne n'était qu'un lieu froid et sans fraternité ? Si les chrétiens eux-mêmes sont divisés ? Le maître nous a laissé ce précepte :

> À ceci tous vous reconnaîtront pour mes disciples : à l'amour que vous aurez les uns pour les autres. (Jn 13,35)

Les disciples de Jésus ne peuvent être témoins de cette lumière pour le monde qu'est l'Évangile que s'ils vivent entre eux le sel de l'alliance, c'est-à-dire la communion fraternelle des cœurs :

> Vous êtes le sel de la terre. Si le sel perd sa saveur, comment redeviendra-t-il du sel ? Il ne vaut plus rien ; on le jette dehors et il est foulé aux pieds par les hommes. Vous êtes la lumière du monde. (Mt 5,13-14)

On ne peut être — avec Jésus — lumière du monde que si on est d'abord sel de la terre. Et Jésus nous a laissé sa présence — dans sa parole et son repas — afin qu'avec lui, rien ne nous soit impossible :

> Maître... sur ta parole, je jetterai le filet. (v. 5)

*

* *

Jésus mon Seigneur,
crée en moi un cœur qui ose avancer au large,
dans les eaux profondes
où règnent les forces
qui défigurent l'être humain.
Insuffle dans nos communautés chrétiennes
le goût unique de ta liberté amoureuse.
Souffle en notre être l'immensité de ton amour.
Que nous témoignions
que tu es la bonté incarnée
d'un Père de qui nous sommes toujours aimés
et respectés. Amen !

QUESTIONS DE COMPRÉHENSION ET D'APPROPRIATION

1. *Éloigne-toi de moi, Seigneur!* Comment comprendre une telle demande? Quel sens Luc donne-t-il à cette réaction de Simon, alors qu'il va devenir Simon-Pierre, le chef de l'Église?
2. Que représentent les eaux profondes?
3. Que signifie: *Ce sont des humains que tu prendras vivants?*
4. Comment jeter le filet aujourd'hui sans tomber dans la condescendance qui peut souvent marquer le travail missionnaire?
5. Dans nos milieux, quels sont les lieux de la mort, les abîmes?
6. Quels sont les abîmes intérieurs qui m'habitent?
7. Nous sentons-nous responsables de la vitalité de notre communauté chrétienne?
8. Est-ce que notre communauté chrétienne est consciente et agissante face aux problèmes du monde?

6e *dimanche ordinaire*
Luc 6,17-26

ÉVANGILE DE JÉSUS
selon l'écrit de Luc

Descendant avec eux, Jésus s'arrête sur un lieu plat. Il y a là un grand nombre de ses disciples et une grande multitude de gens, de toute la Judée, de Jérusalem, du littoral de Tyr et de Sidon. Ils sont venus pour l'écouter et pour être guéris de leurs maladies. Ceux qui sont tourmentés par des esprits impurs sont guéris. Et c'est en foule qu'ils cherchent à le toucher parce qu'une force puissante se dégage de lui et les guérit tous. Levant ses yeux sur ses disciples, il dit : « Ils sont sur le droit chemin du bonheur, les pauvres : le Règne de Dieu est à vous ! Ils sont sur le droit chemin du bonheur, ceux qui ont faim maintenant : car vous serez rassasiés ! Ils sont sur le droit chemin du bonheur, ceux qui pleurent maintenant : vous rirez ! Vous êtes sur le droit chemin du bonheur, quand les hommes vous

haïssent, vous rejettent, vous insultent et pros-
crivent votre nom comme infâme à cause du
Fils de l'homme ! En ce jour-là, réjouissez-
vous et sautez de joie, car votre salaire est
grand dans les cieux : oui, ces choses-là, leurs
ancêtres les faisaient aux prophètes. Mais
hélas ! pour vous, les riches : vous touchez
votre consolation ! Mais hélas ! pour vous, les
repus de maintenant : vous aurez faim ! Mais
hélas ! les rieurs de maintenant : vous serez
dans le deuil et vous pleurerez ! Hélas ! quand
les humains diront du bien de vous : oui, ces
choses-là, leurs ancêtres les faisaient aux faux
prophètes ! »

Après avoir décrit les premiers pas de la
mission de Jésus en Galilée, Luc relate que
Jésus choisit Douze de ses disciples qui vont
devenir ses envoyés (apôtres) pour travailler
avec lui à l'annonce de son message. Puis le
récit va révéler le contenu du message de
Jésus, en nous décrivant ce que doit être le
vrai disciple.

**Descendant avec eux, il s'arrêta
sur un endroit plat avec une grande
foule de ses disciples et une grande
multitude du peuple...**

On donne souvent à cette charte le nom de
« Sermon sur la montagne ». En effet, en
Matthieu, c'est sur la montagne que Jésus
livre les Béatitudes et il semble qu'elles

s'adressent aux seuls disciples. Luc présente les choses autrement : peut-être veut-il montrer que la proposition faite par Jésus ne se limite pas aux Douze mais qu'elle fait le portrait de tous les disciples qui le suivront au cours de l'histoire. Cette descente de la montagne rappelle Moïse descendant du Sinaï pour donner au peuple les dix Paroles de la Règle de vie (*cf.* Ex 19,25). Comme les dix Paroles du Seigneur contenaient l'essentiel de l'Alliance entre Dieu et son peuple, de même Jésus donne dans ce « sermon » comme la charte du renouvellement de l'Alliance : une *Tora* inscrite dans le cœur et toute entière recentrée sur l'amour gratuit.

Ils sont sur le droit chemin du bonheur, les pauvres : le Règne de Dieu est à vous !

Dans un premier temps, il peut être intéressant de comparer les deux récits. Relisons Matthieu :

> Ils sont sur le droit chemin du bonheur, ceux qui ont un esprit de pauvres, car le Règne de Dieu est le leur. (Mt 5,3)

Matthieu énumère plusieurs catégories de personnes : *les doux, les affligés, les affamés et assoiffés de droiture, les miséricordieux, les purs, les artisans de paix, les persécutés* (*cf.* Mt 5,3-10). En comparant les deux textes,

nous remarquons quelques divergences. La
première est que Luc se limite à quatre béatitudes qu'il fait suivre de leur contraire :

> Ils sont sur le droit chemin du bonheur, ceux
> qui ont faim maintenant : car vous serez ras-
> sasiés ! (v. 21)

> Mais hélas pour vous, les repus de mainte-
> nant : vous aurez faim ! (v. 25)

Luc soulignerait davantage que Matthieu
la condition économique des gens auxquels
Jésus s'adresse. Il parlerait de ceux qui sont
pauvres financièrement : les démunis. On dit
que Matthieu parlerait de la condition spirituelle et on traduit *les pauvres spirituelle-
ment* ou les *cœurs de pauvres*. Mais on peut
aussi traduire : *ceux qui ont souffle de pauvres*, puisque le mot hébreu *ruah* s'emploie
à la fois pour dire le souffle et l'esprit. (Il en
est ainsi du mot grec *pneuma* et du mot
latin *spiritus*.) Celui qui a un souffle de
pauvre est celui qui est épuisé par des conditions difficiles de vie.

Dans la tradition biblique, les béatitudes
expriment différentes facettes du bonheur.

Soit l'annonce prophétique d'une joie
future :

> Mon peuple habitera un séjour de paix, des
> habitations sûres et tranquilles. [...] Heureux,
> vous sèmerez près de tous les ruisseaux, lais-
> sant en liberté le bœuf et l'âne. (Is 32,18-20)

Soit l'action de grâce pour une joie présente :

> Heureux les habitants de ta maison, ils te
> louent sans cesse. Heureux les hommes dont
> la force est en toi. (Ps 84,20-21)

Soit la promesse d'une récompense dans la
mise en pratique de la sagesse :

> Heureux l'homme qui médite sur la sagesse
> et qui raisonne avec son intelligence, qui réflé-
> chit dans son cœur sur les voies de la sagesse
> et qui s'applique à ses secrets. (Si 14,20-21)

Dans sa prédication à la synagogue de
Nazareth, Jésus dit clairement qu'il est venu
explicitement pour les pauvres :

> L'Esprit du Seigneur est sur moi parce qu'il
> m'a conféré l'onction pour annoncer la bonne
> nouvelle aux pauvres. (Lc 4,18)

Il s'agit d'abord ici de ceux qui sont pauvres des biens de ce monde. Jésus « regarde »
sans doute ses propres disciples et décrit leur
condition modeste. Il regarde aussi les foules
qui viennent à son enseignement. À la différence des rabbis qui enseignaient à des gens
instruits, Jésus veut rejoindre le peuple, tous
ceux que la société marginalise : les bergers,
les petits paysans, les itinérants de l'époque.
Il ne leur dit pas qu'ils sont heureux et
doivent se contenter de leur sort de misère,
comme on pourrait parfois comprendre cet
« heureux les pauvres ». Être pauvre — au

sens de miséreux — n'est pas intéressant et
n'est pas digne de l'être humain, car toute
personne humaine est appelée à être fils, fille
de Dieu.

Jésus dit que le pauvre est sur le *chemin*
qui mène au bonheur. Le mot hébreux *ashréi*
qui est traduit par bonheur évoque cette idée
de marche. Le bonheur est promis à celui
qui marche dans la voie de la *Tora,* de la
Règle de vie donnée par Dieu, comme on le
trouve exprimé dans les psaumes :

> Heureux l'homme qui ne prend pas le parti
> des méchants, ne s'arrête pas sur le chemin
> des pécheurs et ne s'assied pas au banc des
> moqueurs, mais qui se plaît à la *Tora* du Sei-
> gneur et récite sa *Tora* jour et nuit ! (Ps 1,1-2)

Les béatitudes visent la joie et non le
bonheur du plaisir. Si ce sont les pauvres, les
petits, les démunis auxquels le bonheur est
promis, c'est afin de rendre signifiant que le
vrai bonheur est le fruit du don reçu et non
pas le résultat produit par nos propres
efforts. Ainsi, à la suite de la déclaration de
Simon-Pierre sur l'identité de Jésus, celui-ci
répond :

> Heureux es-tu, Simon fils de Jonas, car ce
> n'est pas la chair et le sang qui t'ont révélé cela,
> mais mon Père qui est aux cieux. (Mt 16,17)

Le vrai bonheur est un don : il est joie et
non pas plaisir. Le plaisir vient des choses,

la joie vient des personnes. Le plaisir serait le fruit produit par un geste, une action : on a plaisir à manger tel fruit, par exemple. La joie serait ce qui nous est donné par un autre : elle est d'abord accueil, comme l'amitié.

Cette joie est en priorité pour les pauvres, dans la mesure où leur pauvreté les rend précisément accueillants aux personnes. Le pauvre ne peut mettre son bonheur dans la recherche des plaisirs : ils lui sont le plus souvent interdits parce qu'il ne peut se les payer. Mais la joie de l'amitié lui est possible le plus souvent. Celui qui est riche n'a-t-il pas souvent peur d'être aimé pour ce qu'il a et non pour ce qu'il est ?

Ils sont sur le droit chemin du bonheur, ceux qui ont faim maintenant : car vous serez rassasiés !

Jésus ne cessera d'inviter chacune et chacun à chercher la vraie joie dans des relations gratuites. Luc est le seul à rapporter la réflexion de Jésus sur les invités à un repas :

> Quand tu donnes un déjeuner ou un dîner, n'invite pas tes amis ni de riches voisins. Au contraire, quand tu donnes un festin, invite des pauvres, des estropiés, des boiteux, des aveugles, et tu seras heureux parce qu'ils n'ont pas de quoi te rendre. (Lc 14,12-13)

C'est dans le récit de Luc que se trouvent mises en relief les exigences du Christ sur la pauvreté. Celle-ci est vue comme étant la priorité à donner aux personnes avant de donner priorité aux biens matériels. Luc n'est-il pas le seul à signaler l'attitude du riche Zachée qui partage ses biens?

> Zachée s'avance et dit au Seigneur : « Seigneur, je fais don aux pauvres de la moitié de mes biens et, si j'ai fait tort à quelqu'un, je lui rends le quadruple. » Alors Jésus dit à son propos : « Aujourd'hui, le salut est venu pour cette maison, car lui aussi est un fils d'Abraham. » (Lc 19,8-9)

Jésus invite son disciple à se détacher de ses biens, à ne pas faire de l'argent le trésor de son cœur :

> Vendez ce qui vous appartient et donnez-le en aumônes. Faites-vous des bourses qui ne s'usent pas, un trésor qui ne vous fera pas défaut dans les cieux. (Lc 12,33)

C'est aussi la même recommandation radicale qu'il fait à l'homme riche qui s'interroge *sur ce qu'il doit faire pour recevoir la vie éternelle en partage.*

> L'ayant entendu, Jésus lui dit : « Une seule chose encore te manque : tout ce que tu as, vends-le, distribue-le aux pauvres et tu auras un trésor dans les cieux ; puis viens et suis-moi. » Quand il entendit cela, l'homme devint tout triste, car il était très riche. (Lc 18,22-23)

« Distribue ton bien aux pauvres, à ceux qui ne peuvent rien te donner en contrepartie et qui ainsi t'apprendront la gratuité et la joie. » À travers ces paroles, c'est toujours la même consigne de sagesse : ta richesse risque de t'empêcher de vivre la gratuité dans tes relations. Si tu ne vis pas la gratuité de l'amour, tu ne connaîtras jamais la joie et tu ne connaîtras pas la communion avec Dieu. Dieu *ne* se situe *que* sur le plan de la gratuité : son amour n'est que grâce. Seul celui qui vit de grâce entre dans le règne de Dieu, entre dans sa paternité.

Ils sont sur le droit chemin du bonheur, ceux qui pleurent maintenant : vous rirez !

> Allez rapporter à Jean ce que vous avez vu et entendu : les aveugles retrouvent la vue, les boiteux marchent droit, les lépreux sont purifiés et les sourds entendent, les morts ressuscitent, la bonne nouvelle est annoncée aux pauvres. (Lc 7,22)

Cette préférence accordée aux pauvres et aux petits souligne la gratuité de l'amour de Dieu. Aucun humain ne peut s'approprier ou s'accaparer les dons divins. Nous les recevons gratuitement comme tout humain reçoit la chaleur et la lumière du soleil. L'Évangile nous ouvre donc au partage et à la compassion pour les petits, les pauvres, les démunis. En partageant avec eux, en devenant leur ami, nous apprenons d'eux à partager et à fraterniser.

Par exemple, Henri, célibataire, souffrant d'un handicap, ne se ferme pas sur lui-même ; par l'intermédiaire d'amis, il fréquente des personnes seules et démunies et il les aide en leur rendant des services de tout genre. Il s'est trouvé un mode de vie qui le rend heureux en partageant ses capacités d'entraide avec des personnes démunies comme lui. Il est un véritable rayon de soleil qui éclaire et réchauffe depuis plus de 20 ans !

En proclamant les « malheureux du monde » *heureux*, Jésus ne veut pas inviter les gens à rester dans leur misère. Au contraire, continuellement nous le voyons leur tendre la main pour les relever. Il invite son disciple à faire de même :

> J'ai eu faim, vous m'avez donné à manger ; j'ai eu soif, vous m'avez donné à boire ; j'étais un étranger, vous m'avez recueilli ; nu, et vous m'avez vêtu ; malade, et vous m'avez visité ; en prison, et vous êtes venus à moi. (Mt 25, 35-36)

Toutes ces personnes sont des pauvres qui ne peuvent rien rendre et ne pourront que recevoir ce qui leur est donné.

Nous pouvons donc percevoir l'action aimante de Dieu en quiconque s'implique auprès des démuni-es. Florence Bruce défend la cause «de tout l'enfant et de tous les enfants». Grâce à l'action et à la prière, elle sait qu'aucun d'entre eux, même le plus blessé, même le plus exploité, n'est jamais perdu.

Voici comment elle s'exprime:

Pour évoquer cette formidable capacité des enfants à vivre et à survivre malgré toutes les oppressions dont ils sont victimes, nous utilisons le mot de «résilience». Il s'agit d'un terme emprunté au vocabulaire scientifique qui désigne la résistance au choc. Un enfant ne sortira peut-être pas indemne de la guerre ou de la prostitution, mais nous croyons, et nous constatons, qu'il a en lui les capacités de s'en sortir. Cette conviction guide notre action. Ne jamais renoncer, croire au potentiel de chaque enfant, même le plus traumatisé, découvrir avec lui qu'il a toujours un espoir. Nous avons le sentiment de semer des graines. Et nous faisons confiance, sachant que Dieu fait lui aussi son travail. La résilience n'est ni un rebondissement, ni une guérison totale, ni un retour à un état antérieur sans blessures. Il s'agit d'une ouverture sur une nouvelle croissance, une nouvelle étape dans la vie. La cicatrice de la blessure reste présente mais une nouvelle vie peut commencer.

Pour un chrétien, cette expérience très concrète de résilience fait pressentir la dynamique profonde de la croix et de la résurrection.

Le Christ nous a montré qu'il n'était pas nécessaire de chercher à revenir à ce qu'était la vie avant le malheur. Il nous a libérés de cette aliénation en nous indiquant une autre voie : notre vie brisée, nos blessures peuvent se transformer en une vie nouvelle et inattendue. Et cette régénération peut commencer à se produire ici et maintenant. Les enfants que nous accompagnons ne cessent d'en témoigner. (Revue *Prier* n° 198, janvier-février 1998, p. 6-7)

Mais hélas ! pour vous, les riches : vous touchez votre consolation !

« Vous touchez votre consolation », comme on dit « toucher un salaire ». Car les relations du riche sont trop souvent éloignées de la gratuité. Conditionné par le sens des affaires, le riche ne donne pas vraiment : il attend, le plus souvent, un retour au geste qu'il pose, une reconnaissance.

Si vous aimez ceux qui vous aiment... les pécheurs aussi aiment ceux qui les aiment. Et si vous faites du bien à ceux qui vous en font... les pécheurs eux-mêmes en font autant. Et si vous prêtez à ceux dont vous espérez qu'ils vous rendent... Même des pécheurs prêtent aux pécheurs pour qu'on leur rende l'équivalent. (Lc 6,32-34)

Jésus tient un langage semblable à ceux qui prennent appui sur leur pratique de la

Tora plutôt que de compter sur l'amour de Dieu :

> Mais malheureux êtes-vous, Pharisiens, vous qui versez la dîme de la menthe, de la rue... et qui laissez de côté la justice et l'amour de Dieu. C'est ceci qu'il fallait faire, sans négliger cela. (Lc 11,42)

> Le Pharisien, debout, priait ainsi en lui-même : « Mon Dieu, je te rends grâces de ce que je ne suis pas comme le reste des hommes, qui sont rapaces, injustes, adultères, ou bien encore comme ce publicain ; je jeûne deux fois la semaine, je donne la dîme de tout ce que j'acquiers. » (Lc 18,11-12)

Malheureux ce Pharisien qui ressemble au frère aîné de la parabole du fils prodigue : incapable de partager la joie de voir revenir son frère qui était perdu (*cf.* Lc 15,32 et ss). Trop préoccupé de sa bonne conduite, pour laquelle il calcule la reconnaissance de son père, il est incapable de pardon et donc de joie.

On traduit souvent : « Malheur à vous ! » Mais l'expression juive exprime moins une malédiction qu'une profonde douleur ou une indignation comme l'exprime l'exclamation « Hélas ! ». Jésus ne leur souhaite pas du mal ; il déplore que leur situation privilégiée les fasse passer à côté de la gratuité qui est la seule voie du bonheur. Il leur lance

donc un vigoureux appel à la conversion.
L'attachement aveugle à l'argent tourne le cœur
humain vers les biens matériels, l'éloigne de
tout partage fraternel, et donc de la vraie
communion avec Dieu. En ayant touché
leur récompense, en ayant toujours vécu le
donnant-donnant dans toute relation humaine,
ces riches calculateurs se sont fermés à
l'amour de Dieu qui est pure gratuité. C'est
ce que dit Abraham au riche qui n'a pas su
partager avec Lazare affamé :

> Mon enfant, souviens-toi que tu as reçu ton
> bonheur durant ta vie, comme Lazare le mal-
> heur ; et maintenant il trouve ici la consola-
> tion, et toi la souffrance. De plus, entre vous
> et nous, il a été disposé un grand abîme pour
> que ceux qui voudraient passer d'ici vers vous
> ne le puissent pas et que, de là non plus,
> on ne traverse pas vers nous. (Lc 16,25-26)

Mais hélas pour vous, les repus de maintenant : vous aurez faim !

Rappelons la parabole du riche insensé, qui
est propre à Luc :

> Il y avait un homme riche dont la terre avait
> bien rapporté. Et il se demandait : « Que vais-
> je faire ? car je n'ai pas où rassembler ma
> récolte. » Puis il se dit : « Voici ce que je vais
> faire : je vais démolir mes greniers, j'en bâti-
> rai de plus grands et j'y rassemblerai tout mon
> blé et mes biens. » Et je me dirai à moi-même :

« Te voilà avec quantité de biens en réserve pour de longues années ; repose-toi, mange, bois, fais bombance. » (Lc 12,16-19 *passim*)

Un tel riche insensé ne peut pas *voir* la situation d'un Lazare affamé. En comparaison, notons comment l'évangéliste décrit ce dernier :

Il aurait bien voulu se rassasier de ce qui tombait de la table du riche ; mais c'étaient plutôt les chiens qui venaient lécher ses ulcères. (Lc 16,21)

Luc est sans doute très conscient que de telles situations d'inégalité existent au cœur même des communautés chrétiennes. Dans les Actes des apôtres, il trace un portrait de la communauté qui exprime peut-être plus l'idéal que la réalité :

Ils étaient assidus à l'enseignement des apôtres et à la communion fraternelle, à la fraction du pain et aux prières. Tous ceux qui étaient devenus croyants étaient unis et mettaient tout en commun. Ils vendaient leurs propriétés et leurs biens, pour en partager le prix entre tous, selon les besoins de chacun. (Ac 2,42-46)

Nul des croyants ne se disait propriétaire de ce qu'il possédait, mais on mettait tout en commun... Aucun d'entre eux n'était dans la misère, car on redistribuait une part de l'argent mis en commun à chacun des frères, au fur et à mesure de ses besoins. (Ac 4,32-35)

Voilà un idéal qui a sans doute été diffi-
cile à vivre, mais qui inspirera plus tard les
communautés religieuses. C'est encore ce qui
devrait inspirer tout geste de solidarité entre chrétiens. Au début du christianisme, la
collecte faite lors des Repas sacrés était des-
tinée aux pauvres et aux veuves. Aujourd'hui,
la dîme sert d'abord à payer les salaires des
permanents et l'entretien des immeubles.
Mais n'est-ce pas le sens que devrait retrou-
ver la quête du dimanche : partage et solidarité pour qu'il n'y ait pas de miséreux au
sein de la communauté ?

Hélas ! quand les humains diront
du bien de vous : oui, ces choses-là,
leurs ancêtres les faisaient aux faux
prophètes !

La recherche de la vraie joie ne peut se faire
sans détachement mais aussi sans risque
d'aller à contre-courant du monde et d'en
être rejeté. Le Règne de Dieu qui parle de
gratuité et d'amour est le renversement des
situations « mondaines » qui, elles, parlent de
quêtes insatiables de richesses, de recherches
de récompense, de reconnaissances. Celui qui
a choisi de ne rien exiger de l'autre, ne devrait pas ensuite lui reprocher de ne rien
donner. Mais cela sera toujours une conviction à renouveler, une sagesse à demander.

Celui qui vit de gratuité doit s'attendre à être le plus souvent ignoré, voire exploité. Jean Sulivan traduit bien cela :

> L'Évangile est une arme à double tranchant : il ne nous dit pas seulement que Dieu nous aime, mais que son amour est inséparable de la blessure. Il nous apporte la vie et nous demande de mourir. Dans les « derniers temps », l'amour ne peut nous atteindre que par la croix. L'amour qui sauve passe par le Christ crucifié. Tel est l'objet de la foi chrétienne. (*Dieu au-delà de Dieu*, DDB, 1982, p. 102)

La joie véritable, le disciple la trouvera dans la certitude que c'est finalement la bonté et la générosité qui pourront vaincre l'indifférence, la cupidité, l'égoïsme. Autant l'égoïsme qui se trouve dans le cœur de celui qui l'exploite, que l'égoïsme qui se trouve en germe dans son propre cœur, toujours prêt à envahir à nouveau sa pensée et ses gestes.

*

* *

Jésus, mon frère et mon maître,
pourquoi me faut-il mourir à moi-même ?
Parfois, je ne comprends pas ce don
que tu demandes ;
ou je le crains et le rejette.
Frappe à ma porte :
je suis sourd à ton appel et imbu
de moi-même.
Ne cesse jamais de croire en moi :
je n'y crois pas assez
et mon cœur se détruit.
J'ose te demander de me nourrir
de ton amour inconditionnel
qui me mènera sur le chemin
de la béatitude éternelle.
Fais germer en mon cœur l'espérance
des béatitudes vécues.
Bouleversant mon être intérieur,
que ce germe devienne don total
de moi à Toi
et nourriture pour ma communauté,
mes amis, le monde. Amen !

QUESTIONS DE COMPRÉHENSION ET D'APPROPRIATION

1. Que signifie le mot « heureux » dans la bouche de Jésus ?
2. Quels sont ceux que Jésus proclame sur le chemin du bonheur ?
3. De quelle pauvreté parlent les béatitudes ? La pauvreté matérielle ? La pauvreté spirituelle ?
4. Est-ce qu'on peut rapprocher la pauvreté que propose Jésus de ce qu'on appelle la simplicité de vie volontaire ?
5. Comment peut-on vivre les béatitudes dans nos communautés chrétiennes ?
6. Comment les faire découvrir au monde ?

7ᵉ dimanche ordinaire
Luc 6,27-38

Je le dis : à vous qui m'écoutez : Aimez vos ennemis, faites du bien à ceux qui vous haïssent. Souhaitez du bien à ceux qui vous maudissent, priez pour ceux qui vous calomnient. À celui qui te frappe sur la joue, présente aussi l'autre ; et à celui qui te prend ton manteau, ne refuse pas aussi ta tunique. À celui qui te demande, donne ; et à celui qui prend ton bien, ne réclame rien. Comme vous voulez que les humains agissent envers vous, agissez de même envers eux. Si vous aimez ceux qui vous aiment, quelle gratitude y a-t-il pour vous ? Car même les pécheurs aiment ceux qui les aiment ! Si vous faites du bien à ceux qui vous font du bien, quelle gratitude y a-t-il pour vous ? Même les pécheurs en font autant ! Si vous prêtez à ceux dont vous espérez recevoir, quelle gratitude y a-t-il pour vous ? Même les pécheurs prêtent aux pécheurs pour recevoir en retour l'équivalent. Au contraire, aimez vos ennemis, faites du bien et prêtez sans rien espérer en retour. Alors votre salaire sera grand et vous serez les fils du Très Haut, Lui qui est bon pour les ingrats et les méchants. Soyez miséricordieux comme votre Père est miséricordieux. Ne jugez pas et vous ne serez pas jugés. Ne condamnez pas et vous ne serez pas condamnés. Acquittez et on vous acquittera. Donnez, et on vous donnera. On vous donnera, dans le pan de votre vêtement, une belle mesure bien tassée, secouée, superdébordante. Car de la mesure dont vous mesurez, on mesurera pour vous en retour.

Ce texte fait partie de ce qu'on appelle, en Luc, le Sermon dans la plaine qui est le parallèle du Sermon de la montagne de Matthieu. Ayant choisi les Douze — qui préfigurent tous ceux qu'il appelle à s'unir autour de lui —, Jésus explicite le contenu de son message de bonheur, son Évangile.

Dans ce texte fondamental, nous pouvons voir comme le résumé du message du rabbi Iéschoua de Nazareth. (Iéschoua est le nom araméen de Jésus). C'est là son commentaire de la *Tora* de Dieu, c'est-à-dire sa propre traduction de la pensée du Père Divin sur laquelle son disciple pourra bâtir sa vie solidement. L'Évangile nous dit que son enseignement est du roc :

> Je vous montrerai à qui ressemble celui qui vient à moi, et qui entend mes paroles et les met en pratique : il est semblable à celui qui bâtit une maison, qui a foui et creusé profondément, et a mis un fondement sur le roc. (Lc 6,47-48)

Et cet enseignement conduit au vrai bonheur :

> Vous êtes sur le chemin du bonheur, vous les pauvres : à vous est le règne de Dieu. (Lc 6,20)

Ce bonheur, Jésus va l'affirmer malgré les oppositions et même les persécutions auxquelles seront soumis ses disciples.

> Vous êtes sur le droit chemin du bonheur lorsque les humains vous haïssent, lorsqu'ils vous excluent, vous outragent et vous rejettent comme méprisables, à cause du Fils de l'homme. (Lc 6,22)

Aimez vos ennemis, faites du bien à ceux qui vous haïssent...

Y a-t-il, dans la Bible, des traces d'un précepte demandant d'aimer son ennemi ? Voyons ce que dit le Deutéronome lorsque les Hébreux vont entrer dans la terre d'Israël :

> Lorsque le Seigneur ton Dieu t'aura fait entrer dans le pays dont tu viens prendre possession, et qu'il aura chassé devant toi des nations nombreuses, [...] lorsque le Seigneur ton Dieu te les aura livrées et que tu les auras

battues, tu les voueras totalement à l'interdit. Mais voici ce que vous ferez à ces nations : leurs autels, vous les démolirez ; [...] leurs idoles, vous les brûlerez. Car c'est toi que le Seigneur ton Dieu a choisi pour devenir le peuple qui est sa part personnelle parmi tous les peuples qui sont sur la surface de la terre. C'est le Seigneur ton Dieu qui est Dieu, le Dieu vrai ; il garde son alliance et sa fidélité durant mille générations à ceux qui l'aiment et gardent ses commandements, mais il paie de retour directement celui qui le hait, il le fait disparaître. (Dt 7,1-2.5-6.9-10)

On trouve donc dans la Bible un courant qui parle de la destruction des ennemis et qui la présente comme la volonté même de Dieu. Puisqu'Israël est le peuple de Dieu ; les guerres, qu'il va mener pour conquérir la terre que Dieu lui a promise, sont donc les combats du Seigneur-Dieu lui-même. De même, « l'amour du Dieu unique commandait en quelque sorte la haine des idoles, et celle-ci à son tour entraînait la haine des païens qui les servaient » (L. Deiss, *Assemblée du Seigneur* n° 38, Cerf, p. 67).

Un psaume de Lamentation le montre bien :

Tire-moi du bourbier, que je n'enfonce, que j'échappe à mes adversaires, à l'abîme des eaux ! [...] Réponds-moi, Seigneur, car ton amour est bonté ; en ta grande tendresse regarde vers moi. […] Toi, tu connais ce qui m'insulte, mes oppresseurs sont tous devant toi. […] Déverse sur eux ton courroux, que le feu de ta colère les atteigne. […] Charge-les, tort sur tort, qu'ils n'aient plus d'accès à ta justice ; qu'ils soient rayés du livre de vie, retranchés du compte des justes. (Ps 69,1.17.20. 25.28-29)

Dans la perspective de ce psaume, la bonté de Dieu se manifeste pour celui qui vit juste et droit, tandis que l'impie, l'injuste, l'ennemi vont s'enfoncer dans l'abîme des ténèbres sous la colère de ce même Dieu : tout-puissant et juste. C'est qu'on ne peut envisager que Dieu reste sans punir celui qui fait le mal, car il y va de l'honneur de sa justice.

La *Tora* va pourtant s'efforcer de contrôler la violence contre ceux qui font le mal. Ainsi la loi du talion édictée par Moïse : *Œil pour œil* (Ex 21,24) sera un progrès par rapport à la loi de Lamek qui prônait de se venger 77 fois :

Oui, Caïn sera vengé sept fois, mais Lamek soixante-dix-sept fois. (Gn 4,24)

De plus, si la *Tora* demande de réprimander le compatriote, elle invite à ne pas avoir de haine envers lui :

Tu n'auras pas dans ton cœur de haine pour ton frère. Tu dois réprimander ton compatriote et ainsi tu n'auras pas la charge d'un péché. Mais tu ne te vengeras pas et tu ne garderas pas de rancune envers les enfants de ton peuple. Tu aimeras ton prochain comme toi-même. Je suis le Seigneur Dieu. (Lv 19,17-18)

Ces directives du Lévitique concernant le compatriote vont être aussi élargies pour concerner l'étranger immigré :

L'étranger qui séjourne parmi vous sera pour vous comme l'Israélite de naissance, et tu l'aimeras comme toi-même ; car vous avez été étrangers dans le pays d'Égypte. Moi, je suis l'Éternel, votre Dieu. (Lv 19,34)

Cependant, à l'époque de Jésus, on envisageait cette loi de façon plutôt restrictive. Pour qu'elle lui soit appliquée, il fallait que cet étranger soit devenu juif en ayant reçu le baptême des prosélytes et la circoncision. Sinon, même si l'étranger vit en Israël depuis plus d'un an, il sera considéré comme un païen. Rappelons qu'on n'était pas tenu de porter secours à l'étranger, même en cas de danger de mort et qu'il se trouvait même des scribes pour affirmer que le meilleur des païens devait être mis à mort.

Tu haïras ton ennemi ne se trouve pas textuellement [dans la Bible], il pourrait s'agir d'un dicton populaire en usage au temps du Christ, et dont on trouve l'équivalent dans le Rouleau de la Règle [de Qumrân] : le disciple qui s'engageait dans la communauté de

Qumrân promettait d'aimer tout ce que Dieu a élu, et de haïr tout ce qu'il a méprisé... d'aimer tous les fils de lumière, chacun selon son lot, dans le conseil de Dieu, et de haïr tous les fils des ténèbres (Règle de la Communauté, 1,10). (L. Deiss, *ibidem*)

En demandant d'aimer l'adversaire, l'ennemi, Jésus s'appuie sur cette *Tora* écrite qui demandait de considérer l'étranger comme on considère un compatriote (*cf.* Lv 19,17), et il en porte l'application à la limite extrême. Certes, l'amour dont il s'agit ici n'est pas les sentiments d'amitié ou d'affection. Jésus ne demande pas de trouver sympathique celui qui nous méprise et nous humilie. Mais il s'agit de la volonté profonde de faire du bien à celui qui fait du mal.

Souhaitez du bien à ceux qui vous maudissent

Dans quel contexte Jésus parle-t-il d'amour de l'ennemi? Il s'agit très probablement de la violence et de la haine dont lui-même sera l'objet de la part de l'élite religieuse et qui le mènera à la croix, et que ses disciples connaîtront après sa mort. Luc a conçu la scène de la visite à Nazareth, au début du ministère de Jésus, comme une préfiguration de ce que sera le dénouement final de la mission:

> Dans la synagogue, tous sont remplis de colère en entendant cela. Les gens se lèvent et l'expulsent hors de la ville. Ils le mènent jusqu'au sommet de la colline, sur laquelle leur ville est bâtie pour le précipiter en bas. (Lc 4,28-30)

Cette opposition des gens de Nazareth est une réaction à la prédication de Jésus qui demandait de vivre l'An de grâce : c'est-à-dire de faire entièrement grâce à ceux qui nous doivent quelque chose : prêt d'argent, hypothèque de maison, etc. En cet An de grâce, Dieu lui-même fait grâce et pardonne. Si cet An de grâce est un message de bonheur — particulièrement pour les pauvres —, il implique aussi une perte des privilèges pour les Juifs. Si Dieu fait grâce, il le fait à tout être humain et les membres du peuple de Dieu n'ont pas de privilèges spéciaux. Dieu va manifester son amour autant envers les païens qu'envers les Juifs. Cette perte de leur privilège provoque la colère des gens de Nazareth. Plus tard, l'élite religieuse de Jérusalem manifestera la même opposition. Lors de sa prédication à Nazareth, Jésus proclamait qu'il accomplissait le passage du prophète Isaïe (*cf.* Is 61,1) :

> L'Esprit du Seigneur est sur moi parce qu'il m'a conféré l'onction pour annoncer le bonheur aux pauvres. (Lc 4,18)

Cette annonce du bonheur se dit *évangélion* en grec, mot francisé en *évangile*. Le mot grec veut dire : message de bonheur. La prédication de Jésus est « *annonce de bonheur* » parce que Dieu est Père et qu'il offre gratuitement son amour à tous. C'est cette proximité d'un Dieu bon qui est la source véritable de la joie. En effet, devant ceux qui sont privés de cet amour par leur propre faute, Dieu n'a qu'une seule passion : leur montrer que son amour n'a de cesse de leur redonner la joie. Dieu est le Père de l'enfant prodigue qui trouve sa joie dans le retour à la vie de son fils qui s'était perdu. Dieu est ce Père si humble qu'il court au-devant de son fils cadet pour se jeter à son cou et l'embrasser. Dieu est ce Père si humble qu'il ne se fâche pas contre le fils aîné enfermé en lui-même, et qu'il va encore et encore au-devant de lui pour le supplier. Le Dieu-Père de Jésus illustre bien la définition de lui-même confiée à Moïse :

> Je suis Dieu, miséricordieux et faisant grâce, lent à la colère, et grand en bonté et en fidélité, gardant la bonté envers des milliers [de générations], pardonnant l'iniquité, la transgression et le péché. (Ex 34,6)

Si telle est la bonté du Père, qu'en est-il alors de sa justice ? Comme le disent les textes bibliques anciens, Dieu ne doit-il pas juger et châtier tous ceux qui font le mal? Certes, Jésus ne nie pas la justice. Mais, pour lui, elle est peut-être davantage les conséquences néfastes des gestes mauvais que l'on pose, plutôt que l'acte de Dieu lui-même qui punirait le pécheur. Pour prendre une image simple, l'enfant qui met sa main sur le feu (malgré l'interdiction de ses parents) subit une brûlure. Mais cette brûlure n'est pas une punition venant directement de ses parents.

La justice de Dieu, c'est *le respect de notre liberté*. Une telle vision de la justice de Dieu n'est pas celle de l'élite religieuse d'Israël. Grands-prêtres et scribes pensent probablement que la vision de Jésus d'un Dieu de bonté ne peut qu'encourager les pécheurs à faire le mal et saper ainsi l'ordre moral. Pour eux, si l'on ne craint plus Dieu, on supprime un frein qui est très utile pour aider le pécheur à éviter la faute.

C'est cette divergence de vues entre Jésus et l'élite religieuse qui va conduire au rejet du rabbi de Nazareth. Mais comment va se défendre celui qui est condamné parce qu'il prêche l'amour et la bonté? Il ne pourra le faire que par les seules armes de la bonté: la non-violence, le don de lui-même et le pardon. C'est dans le regard du Père tout-aimant que Jésus va trouver la force et l'inspiration nécessaires pour faire face à l'opposition et aux menaces de mort. Les chants du Serviteur d'Isaïe décrivaient déjà l'attitude qui va inspirer la conduite de Jésus :

> Je n'ai pas résisté et je ne me suis pas dérobé. J'ai tendu le dos à ceux qui me frappaient, les joues à ceux qui m'arrachaient la barbe, je n'ai pas soustrait ma face aux outrages et aux crachats. (Is 50,5-7)

La voie choisie par Jésus est celle de l'amour. Face à l'adversaire, il n'y a pas place pour une violence destructrice mais pour le pardon : un pardon qui n'est pas d'oublier le tort qui a été fait mais qui veut convaincre le mauvais et tenter de le guérir.

À celui qui te frappe sur une joue, présente l'autre ; et à celui qui te prend ton manteau, ne refuse pas ta tunique

L'attitude prônée par Jésus n'est pas doloriste et masochiste. Ni pour lui-même ni pour son disciple, son désir n'est de s'exposer aux coups de l'agresseur. Lui-même ne présente pas l'autre joue quand un des gardes le gifle lors de son procès. Au contraire, il se tient debout et lucidement l'interroge :

> « Si j'ai mal parlé, montre en quoi ; si j'ai bien parlé, pourquoi me frappes-tu ? » (Jn 18,23)

Son attitude refuse de rendre coup pour coup, car il sait que la violence ne peut qu'entraîner la violence. La loi de justice du talion (œil pour œil) ne peut apporter la paix entre les ennemis. Ayons conscience que le contexte politique d'alors ne favorisait pas forcément ce genre de comportement. La domination romaine pesait fortement sur les épaules du peuple : impôts lourds, humiliations de toutes sortes... À l'époque, de petits groupes armés tendaient des embuscades aux soldats romains. Ils préparaient ainsi une résistance qui allait aboutir à la guerre de 66 et à la reconquête (provisoire !) de Jérusalem. Beaucoup des auditeurs de Jésus attendaient du messie qu'il prenne la tête de cette résistance. Mais Jésus ne croit pas au succès d'une révolution de la société qui se base sur la force et la violence :

Qui prend l'épée, périra par l'épée. (Mt 26,52)

La « vision » de Jésus s'oriente davantage à espérer un monde de paix et d'unité par une résistance non violente au mal et une volonté de réconciliation entre ceux qui sont en conflit. Deux mille ans après, alors qu'un conflit se poursuit sur le même sol, comment ne pas se demander quel témoignage les disciples de Jésus peuvent porter qui pourrait aider à la réconciliation israélo-palestinienne ? Mais une telle espérance en la paix possible suppose des hommes et des femmes qui sont convaincus de cet idéal de réconciliation, à commencer dans leurs relations les plus proches et les plus ordinaires :

> À celui qui te demande, donne ; et à celui qui
> prend ton bien, ne réclame rien. (v. 30)

Comment en effet pouvoir se réconcilier
avec son ennemi, si on ne choisit pas de
vivre en paix avec le prochain de chaque
jour, celui de notre famille, de notre village,
de notre peuple ? Et cela, même si le prix à
payer est très cher.

Plus tard, l'apôtre Paul interrogera les
chrétiens de la communauté de Corinthe au
sujet des procès que les membres ont entre
eux. On retrouve ici les mêmes conseils que
ceux donnés par Jésus :

> De toute façon, c'est déjà pour vous une
> déchéance d'avoir des procès entre vous.
> Pourquoi ne préférez-vous pas subir une in-
> justice ? Pourquoi ne vous laissez-vous pas
> plutôt dépouiller ? (1Co 6,7)

Il n'est certes pas question d'accepter
l'injustice pour les autres, pour prix de sa
propre tranquillité. Il s'agit de renoncer
volontairement à défendre ses propres droits
s'il faut les payer par une violence faite à
l'autre. Car cette violence ne conduira ni à
changer le cœur de celui qui nous a fait du
tort, ni à recréer l'unité et la paix entre nous.

Comme vous voulez
que les humains agissent envers vous,
agissez de même envers eux

Matthieu dit que cette « règle d'or » résume la *Tora* et les Prophètes. Cette règle n'est pas spécifiquement chrétienne puisqu'on la retrouve chez les auteurs païens et dans la tradition juive. Ainsi le célèbre docteur pharisien Hillel avait résumé le judaïsme en cette règle d'or :

> Ne fais pas à autrui ce que tu ne voudrais pas que l'on te fît à toi-même.

Mais Jésus la formule de façon positive. Lorsqu'énoncée négativement (ne pas faire à autrui ce que l'on ne veut pas qu'il nous fasse), cette règle se base sur la justice : ne tue pas, ne vole pas, ne fais pas de faux témoignage. Il s'agit alors d'être correct en étant fidèle à la *Tora*. Énoncée positivement (agis envers l'autre comme tu voudrais qu'il agisse envers toi), cette règle vise un idéal de bonté sans limites. Elle souligne l'importance de prendre l'initiative de faire du bien, sans même espérer qu'il nous sera rendu. Aux chrétiens de Rome, l'apôtre Paul insistera dans le même sens :

> Ne te laisse pas vaincre par le mal, mais sois vainqueur du mal par le bien. (Rm 12,21)

Cette gratuité dans toute relation, Jésus invite ses disciples à la vivre :

> Si vous aimez ceux qui vous aiment, pour vous, quelle gratitude y a-t-il? Même les pécheurs aiment ceux qui les aiment! Si vous faites du bien à ceux qui vous en font, pour vous, quelle gratitude y a-t-il? Même les pécheurs en font autant! Si vous prêtez à ceux dont vous espérez recevoir, pour vous, quelle gratitude y a-t-il? Même les pécheurs prêtent aux pécheurs pour recevoir en retour l'équivalent. (v. 32-34)

Si Jésus peut demander l'amour de l'ennemi, c'est précisément parce que cette attitude est le sommet de l'amour dans la mesure où elle exige la gratuité totale de la relation. Un tel amour de l'ennemi est lié au bonheur, tel que Jésus l'annonce, parce qu'il nous met en chemin vers l'amour véritable, inconditionnel, et que c'est cette façon d'aimer qui fait naître en nous la joie véritable. L'amour de l'ennemi est le test de la qualité et de la sincérité de notre amour. Il fait « sortir » le disciple du cadre normal (aux yeux du monde) du donnant-donnant, pour l'inviter à dépasser cette normalité (mondaine) des relations afin de vivre totalement la gratuité dans l'amour.

La source et le modèle de cette manière d'aimer le prochain se trouve en Dieu. Déjà la *Tora* invitait les membres du peuple de Dieu à être parfaits et saints :

> L'Éternel parla à Moïse et lui dit : « Parle à toute l'assemblée des fils d'Israël, et dis-leur : Vous serez saints, car moi, l'Éternel votre Dieu, je suis saint. » (Lv 19,1-2)

> Tu seras parfait vis-à-vis du Seigneur ton Dieu. (Dt 18,13)

Cette recommandation est reprise par Jésus, dans le récit de Matthieu : « Vous, soyez donc parfaits, comme votre Père céleste est parfait. » (Mt 5,48) Luc traduit cela par le précepte de la miséricorde : « Soyez donc miséricordieux, comme aussi votre Père est miséricordieux. » (v. 36) Jésus nous dit ainsi qu'il n'y a pas de divin si on aime celui qui nous aime, mais qu'il y a du divin si on fait du bien sans rechercher un intérêt quelconque, sans mettre aucune condition.

> Faites du bien et prêtez sans rien espérer en retour. Alors votre récompense sera grande et vous serez les fils du Très Haut, Lui qui est bon pour les ingrats et les méchants. (v. 35)

Ainsi l'amour parfait est miséricorde et la miséricorde est divine. Et si Jésus peut inviter son disciple à aimer comme Dieu, c'est que lui-même l'aidera, en lui communiquant la vie divine de son Père. Terminons par cette réflexion d'André Comte-Sponville, un philosophe athée, qui décrit bien cet amour qui fait le caractère unique de l'enseignement de Jésus :

[…] Cet amour qui aime jusqu'aux ennemis, cet amour universel et désintéressé, […] c'est ce que le grec des Écritures appelle *agapè* (ainsi dans l'Évangile de saint Jean : « Dieu est amour »). C'est où l'on retrouve la passion, mais en un tout autre sens : ce n'est plus la passion d'Éros ou des amoureux, c'est celle du Christ et des martyrs. C'est où l'on retrouve l'amour fou, mais en un tout autre sens : ce n'est plus la folie des amants ; c'est la folie de la Croix. (*Petit traité des grandes vertus*, PUF, 1995, p. 356-362)

*

*   *

Sois miséricorde pour moi, Seigneur Jésus.
Je ne reconnais pas toujours ton humilité
et veut m'enfermer dans un dieu
qui détruit le méchant et le faible.
Au jour de la croix, c'est toi le faible
qui m'invite à entrer
dans la danse du don :
vie donnée, sang versé, chemin de résurrection.
Toujours la vie triomphe de la mort.
Amen !

QUESTIONS DE COMPRÉHENSION
ET D'APPROPRIATION

1. Que signifie le mot « gratitude » dans la bouche de Jésus ?

2. Pourquoi Jésus demande-t-il à ses disciples de vivre la gratitude ? Comment vivre la gratuité dans un monde de concurrence et de consommation ?

3. Beaucoup sourient de ce conseil de *présenter l'autre joue* à qui nous frappe. Ces paroles apparaissent comme rêveries d'un illuminé. Est-ce juste ? Pourquoi Jésus demande-t-il cela de ses disciples ? Comment Jésus a-t-il été fidèle à ce précepte ?

4. Quelles sont mes réactions personnelles face aux injustices que je peux subir ?

5. Pourquoi ne peut-on pas juger ? Dieu ne nous juge-t-il pas ?

6. Quels sont ceux qu'on qualifie aujourd'hui de pécheurs ? Quelle est mon attitude envers ces gens ?

8e dimanche ordinaire
Luc 6,39-45

ÉVANGILE DE JÉSUS
selon l'écrit de Matthieu

[Jésus] leur dit ensuite un exemple : « Est-ce qu'un aveugle peut conduire un autre aveugle ? Ne tomberont-ils pas tous deux dans un trou ? » Un disciple n'est pas au-dessus de son maître : celui qui est formé sera comme son maître. Pourquoi vois-tu la paille qui est dans l'œil de ton frère, alors que la poutre qui est dans ton œil à toi tu ne la remarques pas ? Comment peux-tu dire à ton frère : « Frère, laisse-moi enlever la paille qui est dans ton œil », toi qui ne vois pas la poutre qui est dans ton œil ? Hypocrite ! Enlève d'abord la poutre de ton œil et alors tu verras clair pour enlever la paille qui est dans l'œil de ton frère. En effet, il n'y a pas de bon arbre qui fasse de mauvais fruit, ni de mauvais arbre qui fasse de bon fruit. En effet, chaque arbre se connaît à son propre fruit. En effet, on ne récolte pas des figues sur des ronces, et on ne vendange pas du raisin sur un buisson. L'être humain qui est bon, du bon trésor du cœur, tire le bien. Et le mauvais, de son mauvais [fond], tire le mal. C'est en effet du trop plein du cœur que parle sa bouche.

Nous sommes dans la dernière partie de ce grand ensemble de paroles de Jésus, appelé le «discours dans la plaine» (Lc 6,17-49). Luc y donne comme un résumé de l'enseignement de Jésus. La parabole de celui qui bâtit sur le roc fera conclusion : le vrai disciple construit sa vie en mettant en pratique l'enseignement de Jésus.

Le disciple de Jésus doit être l'instrument de la miséricorde de Dieu. Les images de l'aveugle et de l'arbre vont décrire comment le disciple de Jésus doit vivre et agir pour être un bon instrument. Les paroles de Jésus, qui sont regroupées ici par Luc, se trouvent très dispersées dans le récit de Matthieu. Il est possible que ce regroupement gauchisse quelque peu leur sens originel. Mais il nous faut les comprendre dans le cadre où Luc les a rassemblées. Le procédé est traditionnel dans la prédication des rabbins du temps. On ne consacre que quelques phrases à chaque sujet afin de mieux soutenir l'attention des auditeurs. Un sujet en amène un autre, relié parfois par un même mot, ou une même image. Ainsi l'image de l'aveugle a pu amener celle de la poutre dans l'œil. L'image de l'arbre et de ses fruits, celle du trésor du cœur et des actes. Cette façon de prêcher se dit : enfiler des perles. Les images seront parfois des hyperboles (figures de style qui exagèrent pour mieux exprimer une idée), comme l'image de la poutre dans l'œil. Mais nous avons aujourd'hui de semblables exagérations pour mieux frapper l'imagination : ainsi nous parlons « d'avaler des couleuvres », « de voir 36 chandelles » ou « que le ciel va nous tomber sur la tête ».

Est-ce qu'un aveugle peut conduire un autre aveugle ?

De qui Jésus parle-t-il ? Dans le récit de Matthieu, ce sont les Pharisiens qui sont décrits comme des guides aveugles :

> Laissez-les : ce sont des aveugles qui guident des aveugles. Or si un aveugle guide un aveugle, tous les deux tomberont dans un trou ! (Mt 15,14)

Mais ici, en Luc, il ne s'agit plus des Pharisiens mais des disciples de Jésus. Au sein de la communauté chrétienne, certains ont des responsabilités à assumer pour guider leurs frères et sœurs. Ailleurs, Jésus compare le guide de son « Église » (de son assemblée) à l'intendant d'une grande maison :

> Quel est donc l'intendant fidèle, avisé, que le maître établira sur sa domesticité pour distribuer en temps voulu les rations de blé? (Lc 12,42)

Jésus pouvait prévoir facilement que tous les guides ne seraient pas toujours exemplaires. Le premier d'entre eux, Simon-Pierre, reniera son maître. Les autres apôtres se disputeront pour savoir quel sera le plus grand parmi eux:

> Ils en arrivèrent à se quereller sur celui d'entre eux qui leur semblait le plus grand. Il leur dit: «Les rois des nations agissent avec elles en seigneurs, et ceux qui dominent sur elles se font appeler bienfaiteurs. Que le plus grand parmi vous prenne la place du plus jeune, et celui qui commande la place de celui qui sert. Lequel est en effet le plus grand, celui qui est à table ou celui qui sert? N'est-ce pas celui qui est à table? Or, moi, je suis au milieu de vous à la place de celui qui sert.» (Lc 22,24-27)

Jésus décrit le rôle des guides comme étant un rôle de service. Si les guides oublient cet esprit de service, ils se conduisent alors en aveugles et ils feront chuter ceux qu'ils doivent aider à être eux aussi des serviteurs.

Les images qui suivent vont expliciter cela:

> Comment peux-tu dire à ton frère: «Frère, laisse-moi enlever la paille qui est dans ton œil», toi qui ne vois pas la poutre qui est dans ton œil? (*cf.* Lc 22,24 ss)

La poutre représente sans doute ce sentiment de supériorité, de domination, dont parlait Jésus aux apôtres lors du Repas des adieux. Le fabuliste français Jean de La Fontaine exprimait la même idée par cette formule : « Lynx envers nos pareils et taupes envers nous. » On a des yeux de lynx, perçants, pour discerner la moindre faille chez autrui. Mais on a des yeux de taupe, aveugles, sur nos propres défauts. Souvent ce sera le ressentiment, la jalousie, voire la haine, qui nous rendront très sensibles aux faiblesses des autres. Pour mieux nous justifier, nous grossirons leurs faiblesses et nous serons incapables de voir les qualités qui rendent belles ces personnes. Olivier Clément écrit :

> Se justifier soi-même en condamnant les autres est notre pente permanente, dans la vie privée comme dans la vie publique. Rien n'est plus important pour celui qui est engagé dans la vie spirituelle que le refus de se faire valoir en méprisant les autres.

Antoine de Saint-Exupéry disait pour sa part qu'« on ne voit bien qu'avec le cœur, car l'essentiel est invisible aux yeux ».

C'est le cœur miséricordieux (sensible à la misère de l'autre) qui est ce sens spirituel qui nous permet de voir les autres comme Jésus les voit. L'apôtre Paul écrira aux chrétiens de Philippe un semblable conseil :

Ne faites rien par gloriole, mais avec humilité considérez les autres comme supérieurs à vous. (Ph 2,3)

Cette capacité de s'émerveiller des beautés de l'autre est la condition de l'amour. Simone Weil disait qu'« éduquer quelqu'un, c'était l'élever à ses propres yeux ». Pour faire cela avec vérité, il faut aussi l'élever à nos propres yeux.

Les conseils de Jésus (ne jugez pas, ne condamnez pas), nous permettent de penser que ce qui nous rend aveugle, c'est surtout le manque de miséricorde. En effet, la mesure dont nous nous servons alors pour nos frères et sœurs est terriblement étroite et sévère. Nous ne verrons pas en eux la promesse de beauté éternelle qui demeure inscrite dans le plus profond du cœur, quel que soit son péché. L'image de la mesure fait penser à l'entonnoir. Le côté évasé représente le don de Dieu : total et sans mesure. Le bout resserré représente notre capacité à accueillir et recevoir le don de Dieu. Et il représente aussi la mesure dont nous nous servons dans notre amour du prochain.

Un disciple n'est pas au-dessus de son maître: celui qui est formé sera comme son maître

Matthieu rapporte cette même phrase:

> Le disciple n'est pas au-dessus de son maître, ni le serviteur au-dessus de son seigneur.
> (Mt 10,24)

En Matthieu, il s'agit du maître qu'est Jésus et qui sera livré à la mort. Comme le maître, le disciple doit donc s'attendre à être lui aussi persécuté. Mais ici, en Luc, le maître doit sans doute être compris comme étant le disciple de Jésus qui est devenu le guide et le formateur de ses frères et sœurs.

Le guide qui ne vit pas la miséricorde de Dieu ne peut être un guide éclairé. Puisqu'il ne connaît pas le vrai visage de Dieu tel qu'Il s'est révélé à Moïse (*Je suis Dieu de tendresse*), puisqu'il ne vit pas lui-même de miséricorde, il ne peut donc pas faire connaître le Dieu de miséricorde à ses frères et sœurs. Le disciple que l'on forme ne connaît pas (n'aime pas) différemment du disciple qui le guide. Si le guide ne vit pas lui-même la miséricorde sans mesure, celui qu'il guide et « forme » en restera à un amour limité, un faux amour qui juge et condamne les autres. Aucun maître ne pourra conduire celui qu'il forme au-delà du palier spirituel qu'il a lui-même atteint.

Mais qui sont donc ces disciples devenus maîtres ? Ces conseils valent-ils pour le disciple ordinaire de la communauté ou bien sont-ils destinés aux seuls responsables ? L'introduction de notre passage nous renseigne peut-être. Les béatitudes, et l'enseignement qui les suit, sont adressées à la foule des disciples : « *Je vous dis, à vous qui m'écoutez* », dit Jésus (Lc 6,27, voir aussi 6,17.20). Les conseils donnés pour guider la communauté valent pour tous ses membres. Si certains disciples ont la *fonction* d'être responsables de la communauté, si certains sont, plus que d'autres, des pères, des mères pour leurs frères et sœurs, ce sont pourtant tous les disciples qui sont responsables de se guider mutuellement.

Dans le récit de Matthieu, tout l'enseignement qui suit les béatitudes est introduit par cette affirmation :

Vous êtes le sel de la Terre. Vous êtes la lumière du Monde. (Mt 5,13-14)

Tous les disciples doivent être « sel de la Terre » et « lumière du Monde ». L'expression « sel de la Terre » signifie qu'on doit devenir un être de communion au sein de la « Terre promise », c'est-à-dire au sein de la communauté.

Chez les Grecs, comme chez les Hébreux ou les Arabes, le sel est le symbole de l'amitié, de l'hospitalité, parce qu'il est partagé, et de la parole donnée parce que sa saveur est indestructible. Dans la culture biblique, toute alliance est donc célébrée avec du sel.

> Sur toute offrande que tu présenteras, tu mettras du sel ; tu n'omettras jamais le sel de l'alliance de ton Dieu sur ton offrande ; avec chacun de tes présents, tu présenteras du sel.
> (Lv 2,13)

Dans ces pays très chauds — à une époque où le réfrigérateur n'existait pas encore —, le sel est ce qui permet de conserver les aliments (la viande et le poisson). Ainsi le sel symbolisera la durée d'une alliance, la fidélité d'une amitié. Dans son merveilleux livre *Nous avons partagé le pain et le sel* (Cerf, 1985), Serge de Beaurecueil évoque un fait marquant de sa vie en Afghanistan. Un de ses élèves musulmans vient un jour frapper à sa porte. « Je voudrais, lui dit-il, que vous veniez chez moi, nous partagerions le pain et le sel, puis je viendrais chez vous, nous partagerions le pain et le sel, et nous serions amis pour toujours. » Ce qui fut fait et scella une grande amitié.

Le sel est donc le symbole de l'alliance qui rassemble et unit. Mais il n'y a pas de communion véritable sans l'exercice constant du pardon. Être sel au sein de la communauté des disciples, c'est devenir être de miséricorde pour ses frères et sœurs.

La communauté de l'alliance — la communauté de la communion avec Dieu — ne pourra être «lumière pour le Monde» qu'à condition de tendre toujours à être une communauté unie. C'est seulement lorsque la communauté vit et témoigne de la tendresse de Dieu qu'elle peut devenir lumière pour ceux de l'extérieur. L'Église (l'assemblée chrétienne) n'est pas lumière d'abord par ses dogmes, mais par son comportement de compassion, de miséricorde. L'attitude de la communauté envers tous ses membres —en priorité envers ceux qui se trouvent marginalisés — doit être une attitude de compréhension, de non-jugement, de non-condamnation. Davantage : elle doit être une attitude d'amour sans mesure parce que cet amour doit guérir nos fautes qui sont toujours renaissantes. Pour aider quelqu'un, une tape sur l'épaule vaut mieux qu'un coup de pied au derrière.

L'apôtre Paul parle du devoir de *s'édifier les uns les autres*, au sens premier d'édifier qui veut dire « construire » :

Car Dieu ne nous a pas destinés à subir sa colère, mais à posséder le salut par notre Seigneur Jésus Christ, mort pour nous afin que, veillant ou dormant, nous vivions alors unis à lui. C'est pourquoi, réconfortez-vous mutuellement et édifiez-vous l'un l'autre. (1Th 5,9-11)

Paul applique cette édification mutuelle à la question du parler en langues :

> Celui qui parle en langues s'édifie lui-même, mais celui qui prophétise édifie l'assemblée. Je souhaite que vous parliez tous en langues, mais je préfère que vous prophétisiez. Celui qui prophétise est supérieur à celui qui parle en langues, à moins que ce dernier n'en donne l'interprétation pour que l'assemblée soit édifiée. Chacun de vous peut chanter un cantique, apporter un enseignement, parler en langues ou bien interpréter : mais que tout se fasse pour l'édification commune. (1Co 14,4-5.26)

Pour Paul, l'absolu se trouve dans ce devoir de se construire les uns les autres, de s'entraider à grandir dans la connaissance amoureuse de Dieu et dans l'amour fraternel. C'est à cette capacité de nous édifier mutuellement que tout doit être jaugé.

Les disciples d'aujourd'hui ont-ils conscience de ce devoir fraternel de s'édifier mutuellement qui fonde le devoir de faire véritablement communauté ? Mais pour cela, nos assemblées devraient être à taille de fraternité pour que nous puissions nous connaître les uns les autres et nous apporter cette aide mutuelle qui nous fera devenir de vrais fils et filles du Père. Jacques Lœw disait qu'une « communauté sera morte ou vivante selon que chacun des membres portera un nom pour tous ses frères et sœurs. » Comment en effet prétendre s'édifier mutuellement si nous sommes des anonymes les uns pour les autres ? Cela pose de sérieuses questions à notre Église qui réunit de moins en moins, dans ses assemblées dominicales, des gens qui font vraiment communauté.

Hypocrite ! Enlève d'abord la poutre de ton œil et alors tu verras clair pour enlever la paille qui est dans l'œil de ton frère

Épier sans cesse la vie des disciples pour en exagérer toutes les faiblesses, c'est avoir un esprit perverti ou hypocrite. C'est qu'on ne se préoccupe pas d'abord de se corriger soi-même, alors que nous sommes tous des êtres faibles et pécheurs, sans exception. Par stricte honnêteté, on doit s'appliquer à soi-même l'enseignement qu'on veut communiquer.

Il est également important de ne pas utiliser le message de l'Évangile pour dominer et posséder le frère ou la sœur. L'entraide chrétienne doit se faire pour libérer et non pour enchaîner. Toutes ces déviations sont, hélas trop souvent, des réalités dans la vie de l'Église. Elles seraient sans doute évitées si on envisageait la morale chrétienne comme étant surtout une rencontre personnelle avec Jésus, avant d'être un code de valeurs, ou un ensemble de préceptes à suivre. Le guide n'est pas d'abord un maître de sagesse mais celui qui conduit à Jésus et qui laisse alors celui qu'il accompagne en présence de l'unique Maître, seul à seul. Maurice Zundel a souvent dit qu'en Jésus il n'y a plus de morale, mais une mystique :

> Le christianisme n'est pas une formule abstraite... Les saints ne sont pas des originaux qui se sont battu les flancs pour aimer un principe abstrait, impersonnel, pour lequel il est impossible de se passionner. Au contraire : les saints sont ceux qui ont toujours perçu en Dieu une Personne, une Présence, une Vie débordante, brûlante, consumante qui les pénétrait jusqu'au plus profond d'eux-mêmes et qui, soulevés chaque jour par cet enthousiasme nouveau, étaient capables de le communiquer à autrui. » (Revue *Nouveau Dialogue* n° 120, p. 29)

Que chaque disciple se retrouve ainsi, pauvre et humble, devant le Maître unique de tous : Jésus.

> Pour vous, ne vous faites pas appeler Maître, car vous n'avez qu'un seul Maître et vous êtes tous frères. Ne vous faites pas non plus appeler guides, car vous n'avez qu'un seul guide, le Christ. Le plus grand parmi vous sera votre serviteur. (Mt 23,8-11)

Chaque arbre se connaît
à son propre fruit

La suite de notre texte va nous aider à savoir discerner quel disciple peut être un vrai guide. C'est à ses fruits qu'on reconnaît un arbre. Le raisin pousse sur la vigne, les figues sur le figuier. Des fruits bons au goût se trouvent normalement sur un arbre greffé. Des fruits de piètre qualité et souvent amers révèlent un arbre sauvage. De même, c'est à ses actes que l'on reconnaît si la personne est bonne ou mauvaise en son cœur. L'être humain agit bien ou mal selon que son cœur est bon ou mauvais.

La comparaison entre l'arbre et le cœur se trouve en d'autres textes du judaïsme. Ainsi dans le livre de l'Ecclésiastique :

> Le champ [porteur] de l'arbre, son fruit le fait connaître ; ainsi la parole [fait connaître] le sentiment du cœur de l'humain. (Si 27,6 — traduction Boismard)

Matthieu fait écho à cela :

> D'après le fruit, l'arbre est connu... car de l'abondance du cœur la bouche parle. (Mt 12,33b.34b).

Un écrit juif, *Le testament d'Asher*, décrit aussi ce lien entre le cœur et les gestes de chacun :

> Si l'inclination de l'humain est au mal, tout son agir est dans le mal... Même s'il fait le bien, cela tourne au mal, car lorsqu'il com-

mence à faire le bien, la finalité de son action le pousse au mal puisque le trésor de son inclination est plein d'esprit mauvais. (1,8-9)

Asher parle du «trésor de son inclination» où Jésus parle du «trésor de son cœur». Le cœur, en effet, doit être compris dans le sens qu'il a dans la Bible : c'est le siège de l'intelligence et de la volonté, là où se prennent les décisions de nos actes. L'être humain agit bien ou mal selon que son cœur sera habité et mené par l'esprit de bonté ou non.

Le vrai disciple de Jésus est celui dont le cœur est converti à la bonté. Ce qui permettra de reconnaître un vrai disciple, ce sont les gestes de miséricorde. Là encore, la vie concrète de Jésus est le véritable enseignement. Donnons quelques exemples de sa conduite qui révèlent son cœur :

> Voyant leur foi, il dit [au paralytique] : «Tes péchés te sont pardonnés.» (Lc 5,20)

> Si je te déclare que ses péchés si nombreux ont été pardonnés, c'est parce qu'elle a montré beaucoup d'amour. Mais celui à qui on pardonne peu montre peu d'amour. Et il dit à la femme : «Tes péchés ont été pardonnés.» (Lc 7,47-48)

À la femme adultère, qu'on lui amène pour la lapider, Jésus va dire :

> «Femme, où sont-ils donc ? Personne ne t'a condamnée ?» «Personne, Seigneur.» «Moi

non plus, je ne te condamne pas : va, et désormais ne pèche plus. » (Jn 8,10-11)

Enfin il descend manger chez le publicain Zachée, qui est reconnu comme un pécheur aux yeux de la *Tora* :

> « Aujourd'hui, le salut est venu pour cette maison, car lui aussi est un fils d'Abraham. En effet, le Fils de l'homme est venu chercher et sauver ce qui était perdu. » (Lc 19,9-10)

Voilà ce qu'est, selon Jésus, le salut de notre vie : vivre de bonté, de miséricorde. Mais comment cela est-il possible aux êtres si fragiles que nous sommes ? La suite de notre passage nous donne une réponse : tout cela est possible à l'être humain, s'il s'appuie sur Jésus.

> Celui qui vient à moi, écoute mes paroles et qui fait celles-ci... à qui le comparer ? À un être avisé qui bâtit sur le roc. Quand la crue est venue, le torrent s'est rué contre cette maison sans pouvoir l'ébranler. (Lc 6,47-48)

La répétition du verbe « faire » (cinq fois dans les versets 39-49) est un indice important. Pour être un disciple de Jésus, il ne suffit pas d'entendre ses leçons, il faut les faire : les mettre en pratique. Le verbe écouter doit être pris au sens fort de « garder en soi la parole entendue pour la réaliser ». Il s'agit d'ob-éir, au sens premier de ce verbe (*ob-audire* en latin) qui signifie : être à l'écoute de quelqu'un. Écouter, obéir à la parole de Dieu, c'est bâtir, édifier sur le Roc. On sait que ce mot qualifie souvent Dieu lui-même dans la Bible. Donnons quelques exemples tirés des psaumes :

Le Seigneur-Dieu est mon roc, ma forteresse et mon libérateur. Il est mon Dieu, le rocher où je me réfugie, mon bouclier, ma citadelle. (Ps 18,3)

Qui donc est dieu sinon le Seigneur ? Qui donc est le Roc hormis notre Dieu ? (Ps 18,32)

C'est toi mon roc et ma forteresse. Pour l'honneur de ton nom, tu me conduiras et me guideras. (Ps 31,4)

Sois le rocher où je m'abrite, où j'ai accès à tout instant : tu as décidé de me sauver. Oui, tu es mon roc, ma forteresse. (Ps 71,3)

« Roc » est aussi le surnom que Jésus donne à Simon pour en faire le prototype de tout disciple. Ce surnom se dit en araméen *kepha* et en grec *petra*, deux mots qui signifient : rocher. La francisation du mot grec *petra* en pierre ne rend pas l'image originale : Dieu n'est pas une pierre mais un rocher. C'est sur le roc de la parole de Dieu que doit se bâtir la vie du disciple de Jésus. Jésus lui-même est roc, car sa parole est parole du Père. C'est ce qu'il nous dit dans le récit de Jean :

Celui qui ne m'aime pas n'observe pas mes paroles ; or, cette parole que vous entendez, elle n'est pas de moi mais du Père qui m'a envoyé. (Jn 14,24)

Vous n'avez pas connu [le Père] tandis que moi, je le connais. Si je disais que je ne le connais pas, je serais, tout comme vous, un menteur ; mais je le connais et je garde sa parole. (Jn 8,55)

On ne connaît Jésus qu'en gardant sa parole. Et lui nous conduit vers le Père. Pour être disciple de Jésus et pour pouvoir conduire vers lui, il n'y a pas d'autre fondement que l'Évangile écouté, médité et mis en pratique. C'est ce qu'écrit Paul aux disciples de Corinthe :

Selon la grâce que Dieu m'a donnée, en bon architecte, j'ai posé le fondement, un autre bâtit dessus. Mais que chacun prenne garde à la manière dont il bâtit. Quant au fondement, nul ne peut en poser un autre que celui qui est en place : Jésus Christ. (1Co 3,10-11)

Madeleine Delbrêl, une des grandes mystiques du XXe siècle, elle-même pétrie de l'Évangile, livre le même message :

On ne peut rencontrer Jésus pour le connaître, l'aimer, l'imiter, sans un recours concret, constant, obstiné, à l'Évangile, sans que ce recours fasse intimement partie de notre vie [...] Pour l'entendre, Jésus réclame des oreilles d'enfants qui n'ajoutent rien, ne retranchent rien à ce qu'ils entendent, puis qui le font comme ils l'ont entendu [...]

L'Évangile n'est pas fait pour être lu mais pour être reçu en nous [...] La lumière de l'Évangile est un feu qui exige de pénétrer en nous pour y opérer une transformation [...] Nous assimilons les paroles des livres. Les paroles de l'Évangile nous pétrissent, nous modifient, nous assimilent pour ainsi dire à elles [...] Quand nous tenons l'Évangile dans nos mains, nous devrions penser qu'en lui habite le Verbe qui veut se faire chair en nous, s'emparer de nous pour que son cœur greffé sur le nôtre, son esprit branché sur le nôtre, nous recommencions sa vie dans un autre lieu, un autre temps, une autre société humaine. (*in* Jacques Lœw, *Vivre l'Évangile avec Madeleine Delbrêl*, Centurion, 1994, p. 55-62)

*

* *

Seigneur Jésus, au souffle de ta bonté
je désire marcher.
Je t'en supplie, ne me laisse pas
devenir pharisien.
Que je ne me laisse pas tenter
de tuer la vie par mes jugements.
Que jamais je ne cesse
d'en appeler à ta miséricorde
quand viennent à moi des cœurs blessés.
Que je sache ne plus condamner
mais que toujours je sois sourire
et pain multiplié. Amen !

QUESTIONS DE COMPRÉHENSION
ET D'APPROPRIATION

1. Dans ce passage de Luc, qui sont les guides aveugles ?

2. Selon Jésus, qu'est-ce qui nous rend aveugles ? Le manque de connaissance ou le manque d'amour ?

3. Pourquoi sommes-nous portés à voir la poutre dans l'œil de notre frère, de notre sœur ?

4. Les conseils de Jésus concernant les guides valent-ils seulement pour les chefs des communautés ou pour toute la communauté ?

5. Qu'est-ce qui fonde le devoir de faire communauté entre disciples ?

6. Comment puis-je devenir serviteur de l'autre, dans ma famille, dans ma communauté chrétienne, dans le monde ?

7. Sommes-nous conscients du devoir de s'édifier mutuellement au sens même de l'Évangile de miséricorde et non au sens d'une morale qui dicte des commandements mais ne fait pas rencontrer la personne de Jésus ?

9ᵉ dimanche ordinaire
Luc 7,1-10

ÉVANGILE DE JÉSUS
selon l'écrit de Luc

Lorsqu'il a complété tout l'enseignement qu'il veut faire entendre au peuple, [Jésus] entre dans Capharnaüm. Un centurion a un serviteur malade qui va mourir. Celui-ci lui est cher. Ayant entendu parler de Jésus, il envoie vers lui des «Anciens» des Juifs pour lui demander qu'il vienne sauver son serviteur. Ceux-ci, arrivés auprès de Jésus, le supplient instamment, en disant : «Il mérite que tu lui accordes cela ; il aime en effet notre nation et c'est lui qui a bâti notre synagogue.» Jésus se met en route avec eux. Déjà, lorsqu'il n'est plus loin de la maison, le centurion envoie des amis pour lui dire : «Seigneur, ne te dérange pas ; car je suis impropre à ce que tu entres sous mon toit. C'est pourquoi je n'ai pas mérité de venir à toi. Mais parle par une parole et que mon garçon soit guéri. En effet,

moi qui suis un humain soumis à une autorité, j'ai des soldats sous mes ordres. Je dis à
celui-ci : "Va !" et il va, et à un autre : "Viens !"
et il vient, et à mon serviteur : "Fais ceci !" et
il le fait. » Entendant cela, Jésus l'admire. Se
retournant vers la foule qui le suit, il dit : « Je
vous le dis : pas même en Israël, je n'ai trouvé
une telle confiance. » De retour à la maison,
les émissaires trouvent le serviteur en bonne
santé.

Notre texte se trouve à la fin du grand ensemble de paroles de Jésus (Lc 6,20-49) qui
comprend les béatitudes et les préceptes
typiquement évangéliques : « Aimez, faites du
bien, bénissez même ceux qui vous haïssent
et vous veulent du mal. » (v. 27-28) La guérison d'un païen sert peut-être d'exemple à
l'accomplissement de ces préceptes.

Il est intéressant de comparer notre texte
avec les textes parallèles de Matthieu (8,5-
13) et Jean (4,46-54). On y verra comment
chaque évangéliste a utilisé librement des
faits accomplis par Jésus pour illustrer un
aspect de la catéchèse. Ainsi, chez Matthieu
comme chez Jean, c'est le centurion lui-
même qui fait la démarche auprès de Jésus.
L'insistance sur l'inaptitude du centurion
païen à recevoir Jésus dans sa propre demeure est surtout soulignée par Luc et
Matthieu. Cependant des éléments essentiels

demeurent dans les trois récits : la confiance très forte du centurion dans la puissance de guérison qu'a Jésus et le fait que cette guérison va s'accomplir à distance.

Jésus entre dans Capharnaüm

Situons d'abord la scène. Capharnaüm est un village important au bord de la mer de Galilée. C'est un lieu situé à la frontière qui délimite le territoire d'Hérode Antipas et qui se trouve proche de la frontière entre les territoires d'Antipas et de son frère Philippe. Le village comporte donc un poste de douane. C'est là que travaillait un certain Lévi-Matthieu que Jésus appellera à le suivre (*cf.* Mt 9,9). Il y a aussi sans doute un poste de garnison commandé par ce centurion, chef de cent soldats. Ce centurion est-il romain, syrien ou d'une autre ethnie ? Peu importe : il est païen et n'appartient donc pas au peuple de Dieu. Jésus avait fait de Capharnaüm, où habitait la famille de Simon-Pierre, le lieu central de sa mission. Cela avait d'ailleurs froissé ses compatriotes de Nazareth qui lui reprochaient d'avoir commencé sa mission et ses guérisons ailleurs que chez eux (*cf.* Lc 4,23). À la synagogue de Nazareth, Jésus avait prêché sur la gratuité de l'amour de Dieu qui ne réserve pas ses grâces au peuple de la *Tora* mais les accorde à qui il veut, sans tenir compte des mérites de ceux qu'il libère de leur mal physique ou moral.

Ayant entendu parler de Jésus, il envoie vers lui des Anciens

Le centurion sait qu'un Juif ne peut pénétrer dans la maison d'un païen sans contracter une impureté qui l'empêchera d'entrer dans la synagogue sans s'être d'abord purifié. Luc rapportera cela dans son second livre : les Actes des apôtres. Rappelons la visite de Pierre chez le centurion Corneille :

> « Comme vous le savez, c'est un crime pour un Juif que d'avoir des relations suivies ou même quelque contact avec un étranger. Mais, à moi, Dieu vient de me faire comprendre qu'il ne fallait déclarer immonde ou impur aucun homme. » (Ac 10,28)

Pierre se fera reprocher cette entorse à la *Tora* par certains membres de la communauté de Jérusalem :

> Lorsque Pierre remonta à Jérusalem, les circoncis eurent des discussions avec lui : « Tu es entré, disaient-ils, chez des incirconcis notoires et tu as mangé avec eux ! » (Ac 11,2-3)

Tout un courant juif soulignait cette différence foncière entre les païens et les fils et filles du Dieu Unique :

« Peut être tenu comme un fils du "monde à venir" celui qui habite dans le pays d'Israël, parle la langue sainte et lit matin et soir la prière du Shema. » (Rabbi Méïr)

Dans le récit de Luc, le centurion pense même qu'il est impropre qu'il se présente lui-même devant Jésus. Aussi, lui envoie-t-il des Anciens, c'est-à-dire des notables. Ceux-ci vont intercéder pour le centurion, rappelant ses mérites. En effet, ce païen a aidé à la construction de la synagogue. Ce fait est très plausible car on retrouve de semblables gestes en Phrygie et en Égypte. Cela montre que les relations entre les Juifs et les étrangers vivant sur leur territoire n'étaient pas toujours faites d'animosité.

Je n'ai pas mérité de venir à toi

Par deux fois, Luc souligne la question du mérite. De la part des notables qui intercèdent pour le centurion disant qu'il mérite que tu lui accordes cela (il aime en effet notre nation), et de la part du centurion qui sait qu'en n'étant pas membre du peuple de Dieu, il ne peut mériter la faveur de cet homme de Dieu qu'est Jésus. Celui-ci ne répondra ni au centurion ni aux autres sur ce terrain. Il va seulement faire la guérison.

Nous retrouvons ici la pensée que Jésus a déjà développé dans la synagogue de Nazareth. Dans le passé, Dieu a aidé une pauvre veuve au temps d'une famine par l'intermédiaire du prophète Élie et guéri un lépreux par l'intermédiaire d'Élisée. Or ces deux personnes n'étaient pas des Juifs mais des païens :

> Amen, je vous le déclare, il y avait beaucoup de veuves en Israël aux jours d'Élie, quand le ciel fut fermé trois ans et six mois et que survint une grande famine sur tout le pays ; pourtant ce ne fut à aucune d'entre elles qu'Élie fut envoyé, mais bien dans le pays de Sidon, à une veuve de Sarepta. Il y avait beaucoup de lépreux en Israël au temps du prophète Élisée ; pourtant aucun d'entre eux ne fut purifié, mais bien Naamân le Syrien. » (Lc 4,26-27)

Appartenir à la même race que Jésus, avoir été un disciple zélé, même avoir joui d'une certaine intimité avec lui, tout cela ne peut être invoqué comme mérites pour obtenir la faveur de Dieu. Dieu n'agit (ne peut agir) que par grâce, c'est-à-dire gratuitement.

> « Alors vous vous mettrez à dire : Nous avons mangé et bu devant toi, et c'est sur nos places que tu as enseigné ; et il vous dira : Je ne sais d'où vous êtes. Éloignez-vous de moi, vous tous qui faites le mal. Il y aura les pleurs et les grincements de dents, quand vous verrez Abraham, Isaac et Jacob, ainsi que tous les prophètes dans le Royaume de Dieu, et vous jetés dehors. Alors il en viendra du levant et

du couchant, du nord et du midi, pour prendre place au festin dans le Royaume de Dieu. (Lc 13,26-29)

Moi qui suis un humain soumis à une autorité...

Dans le récit de Matthieu, c'est le centurion lui-même qui expose les motifs de sa confiance en Jésus. En Luc, ce sont les amis du centurion qui les rapportent. De toutes manières, ce sont ces paroles qui vont faire l'admiration de Jésus pour la confiance de ce païen. On peut penser qu'il y a là comme une comparaison implicite : « De même que moi qui suis un subalterne ayant des gens sous mon autorité, il suffit que je donne un commandement pour que ma parole soit exécutée, de même toi qui es un homme de Dieu soumis à l'Éternel, tu peux aussi donner un commandement et ta parole sera exécutée. » Par qui le sera-t-elle ? Sans doute par les messagers de Dieu (les anges). Pour les contemporains de Jésus, c'est par des êtres spirituels que Dieu agit dans le monde. Les maladies sont attribuées aux démons et les guérisons aux anges. Les adversaires de Jésus, par mauvaise foi, attribueront ses guérisons à sa collusion avec les démons :

Mais quelques-uns d'entre eux dirent : « C'est par Béelzéboul, le chef des démons, qu'il chasse les démons. » (Luc 11,15)

Dans le récit de Matthieu, lors de son arrestation au jardin de Gethsémani, Jésus lui-même invoquera l'autorité de son Père sur les anges :

> Penses-tu que je ne puisse faire appel à mon Père, qui mettrait à ma disposition plus de douze légions d'anges ? (Mt 26,53)

Cette argumentation du centurion laisse peut-être entendre qu'il considère Jésus comme un être qui est supérieur aux guérisseurs de son temps, et même aux prophètes. Le centurion n'affirme pas explicitement la divinité de Jésus mais on peut penser qu'il le considère comme un être divin.

Je vous le dis : pas même en Israël, je n'ai trouvé une telle confiance

Est-ce cette déclaration de ses motifs de confiance qui vaut au centurion l'éloge qu'en fait Jésus ? C'est possible. Mais en quoi a-t-il confiance ? Sinon dans cette parole que Jésus peut prononcer. Parle par une parole, lui dit-il. Cette parole est une parole de bénédiction : une parole qui dit du bien et produit le bien de l'autre. Comme Jésus a demandé à ses disciples d'agir :

> « Mais je vous dis, à vous qui m'écoutez : Aimez vos ennemis, faites du bien à ceux qui vous haïssent, bénissez ceux qui vous maudissent, priez pour ceux qui vous calomnient. » (Lc 6,27-28)

Citons cette belle explication de Jean-Yves Leloup sur ce que signifie la bénédiction :

> Le mot BÉNÉDICTION, *benedicere*, signifie dire du bien, dire une bonne parole. De même que l'on peut dire du mal, là il s'agit d'un bon-dire, d'un bien-dire. Cette parole est à la fois une parole de pardon, de confirmation affective (pour reprendre un langage moderne) et une parole libératrice : « Si ton cœur te condamne, Dieu est plus grand que ton cœur. »
>
> Dans le langage du bouddhisme ou de l'hindouisme nous dirions : « Bien que ta conscience vienne t'évoquer tes actes passés, ne t'identifie pas à eux... » [...] « Tu es plus grand que ce que tu sais de toi-même. » On n'enferme pas l'autre dans la conscience qu'il a de lui-même. Voilà ce que j'appelle une parole de bénédiction ou parole de pardon.
>
> Pour que cette parole ne soit pas celle de notre petit moi, mais bien celle du Troisième, nous allons généralement la chercher chez un poète, dans un texte sacré, quelquefois accompagnée d'une musique. (M. de Hennezel et J.-Y. Leloup, *L'art de mourir*, Robert Laffont, 1997, p. 199-200)

Parle par une parole et que mon garçon soit guéri

Le terme « garçon » s'employait aussi pour un serviteur. La parole de Jésus est parole de libération. On sait qu'à son époque on associe maladie physique et mal moral. Nous retrouvons aujourd'hui ce lien entre le corps et l'âme, le psychisme. C'est ce que nous nommons des maladies psychosomatiques.

Disciples de Jésus, en puisant dans sa force d'amour, nous sommes envoyés par lui pour dire de telles paroles de libération. Lors de nos célébrations eucharistiques, nous faisons ce que la liturgie appelle la Prière universelle. Elle est faite d'intentions de prière pour le monde et l'Église. Il me semble que trop souvent ces prières sont composées de telle sorte qu'elles nous dé-responsabilisent. En effet, nous demandons à Jésus ou au Père de faire lui-même le travail de guérison que nous sommes appelés à faire. Non pas seul, mais avec Lui et par sa force d'amour. Donnons un exemple : « Seigneur, des peuples sont aux prises avec une famine. Donne-leur à manger. Seigneur, telle personne est très malade, guéris-la. » Ne vaudrait-il pas mieux dire : « Seigneur, tel peuple est affamé. Montre-moi comment lui apporter mon aide financière et donne-moi le courage de faire ce geste. » « Seigneur, tel ami est malade. Guide-moi, pour qu'en le visitant je sache parler des paroles de compassion, d'espérance, de libération. » Ces paroles, nous les devons autant à ceux que nous aimons qu'à ceux qui nous sont indifférents, voire hostiles. C'est dans la pratique du Repas du Seigneur que nous pouvons puiser cette force de la Parole d'amour :

> Dans la tradition chrétienne la communion au pain et au corps du Christ signifie l'« action » du Christ : la « praxis ».
>
> Ce sacrement utilise les matières nourrissant notre vie quotidienne afin de symboliser l'action et la contemplation du Christ, sa Vie à laquelle il nous est donné de participer.
> (Jean-Yves Leloup, *ibidem*, p. 201)

La liturgie eucharistique nous fait prononcer les paroles du centurion avant de communier. Elles nous invite à redire notre confiance en la parole que Jésus peut prononcer pour libérer notre cœur de tout ce qui l'entrave et l'empêche d'aimer. Mais il ne faudrait pas que nous oubliions que cette libération est à partager avec ceux et celles qui sont sur notre chemin, quels qu'ils soient : croyants ou non. Peut-être que nous sommes aussi invités à accueillir ces paroles de nos frères et sœurs pour notre propre libération. Ceux et celles qui peuvent nous libérer ne seront pas toujours des disciples de Jésus. Comme lui, nous pourrons avoir l'opportunité d'admirer la force de confiance en l'amour chez des gens qui ne partagent pas notre connaissance de Jésus et de l'Évangile et n'appartiennent pas à nos Églises. Ce

jour-là nous pourrons dire : « Même en notre
Église je n'ai trouvé une telle confiance en
l'amour ! »

*

*   *

Seigneur Jésus, ta parole est libérante.
Daigne la prononcer
sur mes esclavages intérieurs.
Donne-moi de l'accueillir malgré ma faiblesse.
J'ai confiance...
mais fais grandir ma confiance.
Tu le feras en m'aidant à partager ces paroles
avec ceux et celles dont je suis solidaire,
qu'ils soient proches ou lointains. Amen !

QUESTIONS DE COMPRÉHENSION ET D'APPROPRIATION

1. Pourquoi le centurion se considère-t-il inadapté à venir rencontrer lui-même Jésus ?

2. Que Jésus pense-t-il du mérite que nous pouvons avoir devant Dieu ?

3. Pourquoi la parole de Jésus est-elle porteuse de guérison ?

4. Comment la confiance du centurion s'exprime-t-elle ?

5. Comment cette attitude du centurion peut-elle influencer notre manière de prier ?

Pour aller plus loin...

Pour découvrir Jésus, un parcours d'évangile en vidéo : *Iéschoua, dit Jésus...*

12 épisodes de 30 minutes qui mènent du baptême de Iéschoua (nom araméen de Jésus) jusqu'à sa mort, à travers les grandes étapes de sa vie :

> la retraite au désert, la proclamation de l'An de grâce, le message des béatitudes, le choix des Douze, le grand repas des pains multipliés, la retraite de la transfiguration, le Repas du Testament, la Croix et les apparitions au matin de Pâques.

Cette approche de Iéschoua se fait par des dialogues entre Marie de Magdala, qui fut son disciple, Luc, rédacteur d'un des récits évangéliques, qui se fait l'écho de la pensée de Paul, et Théophile, un jeune païen qui enquête sur le message du Christ de Nazareth.

Des tableaux de peintres et des images du pays d'Israël illustrent les dialogues écrits par Georges Convert, prêtre, avec la collaboration de Xavier Gravend-Tirole, bachelier en sciences religieuses, et les conseils exégétiques de Michel Quesnel, bibliste.

RÉALISATION DU VISUEL : Alain Béliveau et Laurent Hardy, de M.A. Productions.

Deux livres accompagnent ces vidéos : *Iéschoua dit Jésus* (textes des dialogues) et *Parcours d'Évangile* (guide pour l'animation) publiés chez Médiaspaul.

On peut aussi commander les vidéocassettes

AU CANADA

Monique Legault
tél. : (514) 931-7311 poste 272

EN FRANCE

Michèle Elghamrawy
21 rue Voltaire, 92140 Clamart,
tél. : 01 46 31 05 37
courriel : michele.elghamrawy@wanadoo.fr

Table des matières